文春文庫

オーラの条件

林 真理子

文藝春秋

◆男と女の間には

傘の相性　239
秋の夜いい思いしてます　244
ボケの壁　249

◆魅力とキケン

オーラの条件

オーラの条件

得意分野

人の名前が憶えられないこと、はなはだしい。もう、ひどいもんだ。それどころか、いつも会っている人が、背景が変わったとたん、まるで思い出せなくなってしまう。

スーパーからの帰り、駅前を歩いていると、男の人がニコニコしながら寄ってきた。

「コンニチハ！」

「あ、どうも」

この人と私とは、わりと頻繁に会っている。しかもかなり友好的にだ。しかし、まるっきりわからない。

「誰だろう、誰だろう……」

必死で考え、家に着く直前にひらめいた。

「あ、本屋さんだ」

ついこのあいだ、うちに一冊の本が送られてきた。タイトルと帯のコピーを見てぞっとした。

「若年アルツハイマー。あなたは最近物忘れがひどくなっていませんか」

が、ひとつの救いは、ずっと前からこうだったということであろうか。十数年前のこと、表参道を歩いていた私は、向こうから女性が手をふっているのを見た。

「ハヤシさーん、こんなところで会うなんて」

〝元気？〟でも、〝久しぶり〟でもない。呼びかけてきた雰囲気が、ごく最近会っている感じなのだ。私もこの人とわりと親しく関わった、という思いはあるのだが、誰だったのか、どういう目的で会ったのかどうしても浮かばない。

「ハヤシさん、疲れなかった？」

「ううん、別に」

「ホントォ、私なんかやっぱりちょっときちゃったわね」

いったい何の話をしてるんだ、苦しい。こういう時の苦しさは、いったいどう例《たと》えたらいいだろう。脳ミソを雑巾みたいに必死で絞っている感じ。

「じゃ、またね」

「ええ」

「また一緒にどこか行きましょうね」

思い出した！　この人と私とはわずか十日前まで一緒にカリブ海を旅していた。この人は雑誌の取材のため、一緒についてきてくれたコーディネイターさんだったのである。一週間行動を共にした相手をすっかり忘れていたのは、背景が変わっていたからだ。彼女の後ろに海が見えたら、絶対に思い出していただろう。

これも最近のことであるが、取材の時に来てくれたカメラマンさんが言った。

「僕はハヤシさん、二十年前に撮ったことがあるんですよ」

「あ、そうですか」

「僕のこと思い出せませんか」

「すいません、ちょっと……」

「あの時、何人かいたからねえ」

その人は、私が憶えていないのが本当に信じられないといった口ぶりであった。

「そんな昔のこと、憶えてるわけないでしょう」

やや紳助のような思いにとらわれたのであるが、それは傲慢《ごうまん》さというよりも、私が、

「人の記憶がそこまですごいわけがない」

という考えを持っているからだと思っていただきたい。

この頃わかったことであるが、このトシになると脳ミソにすごくメリハリがついてきた。どういうことかというと、

「これは苦手」

「これは得意」

とはっきり意志を表明し始めたのだ。私の場合、人の顔と名前を憶える能力と、計算をする能力とが壊滅状態だ。

今までだましだましやってきたのであるが、

「もうイヤ。もうやりたくない」

と脳ミソがストップをかけたようなのだ。ものの数を数える、ということがまるで出来なくなった。何度やっても数が違う。みんなでご飯を食べに行き、ワリカンをしようということになる。そういう時、誰かに任せるようになった。

「私はダメなんで、お願いします」

しばらくぼーっとしていると、会計に行ったひとりが教えてくれる。

「じゃ、五千二百円ずつお願いします」

「ハイ、ハイ」

お財布から出すくらいは出来る。こうしていくうちに、次第にそっち方面が退化していったような感じ。

あと手芸とか工作、といったものはもう手がつけられない。サンドイッチのための紙の箱を組み立てるのも四苦八苦するし（工作とはいえないが）ボタンをつけようとすると、服の縁《ふち》をぬいつけてる。

機械類は、もう私の人生にとり入れることを諦めた。見たい番組を思い出して、朝、夫にビデオ録画を頼もうものならえらい騒ぎだ。

「人の迷惑を考えろ。朝忙しい時に言い出して。ぶうぶうぶう」

それを聞くのが嫌なので、秘書のハタケヤマに頼む。

「悪いけど、夜九時からの聖子ちゃんのドラマ、家で録《と》ってくれない」

するとハタケヤマは言う。

「私も九時から別のものを録りたいんで困ります」

「あ、そんならいいわよ。ふん」

するとちょうどそこへ、仲よしの編集者から電話がかかってきた。

「ねえ、お願い。夜九時からのドラマ、録ってくれないかしら」

「あ、いいよ」

私は彼が会社で録ってくれるか、あるいは家でやってくれると思っていた。が、翌日彼は言う。

「僕がやると間違いがあるかもしれないんで、テレビ局の知り合いに直《じか》に頼んであげたよ」

ここまで人に迷惑をかけるとは思わなかった。もう録画は人に頼まない。もう見られないものとはなから諦めようと心に誓った。ＤＶＤ録画も出来ないしな。

ところで人は問うであろう。

「苦手分野がはっきりしてきたというが、じゃアンタのよくなった得意分野って何なの」

うーん、仕事と言いたいが、この原稿とうに〆切りが過ぎてる。すいません。

矛盾

今年の流行語大賞が発表になった。

大賞はアテネオリンピックで金メダルを獲《と》った、水泳の北島選手の言葉「チョー気持ちいい」だそうだ。

これはちょっとおかしいと思う。今年の大賞は何と言っても「冬ソナ」でしょう。「冬ソナ」が流行語かどうかというと違うような気がするが、あの流行語大賞というのは社会現象のキーワードも含んでいる。だったら誰が考えても「冬ソナ」だ。そして大賞二位は「負け犬」できまり。

北島選手を大賞にしたのは、本人に出てもらって、当日マスコミを集めようという魂胆がミエミエだ。言っちゃナンだけど「チョー気持ちいい」というのは、

「そんなことがありましたよね」

という程度の感慨しかもたらさなかったと思う。しかも「チョー」という接頭語はもはや死語になりつつある。

今年は「冬ソナ」に始まり、そしてヨン様来日でやはり「冬ソナ」に終わった。二〇〇四年を代表するキーワードだったら、誰が考えても「冬のソナタ」だ。以前にもお話ししたと思うが、私のまわりでも何人も韓国へ「冬ソナツアー」に出かけている。ヨン様のホテルへは、中年女性たちが殺到し、ケガ人まで出た。

私は不思議なのであるが、こういう現象がある一方で、

「あの女優は在日だ」とか、

「歌手の〇〇って、北の人らしいよ」

と未《いま》だにささやく人たちがいることである。

「韓流スター」の特集が組まれ、いかにかの国の男性が素晴らしいかが、喧伝《けんでん》されている。いまや韓国のいい男というのは、純粋に憧憬《しょうけい》や渇仰《かつごう》の対象だ。それなのに同じ国の人のことを、あれこれ言うのはどうしてなのだろうか。不思議でたまらない。

さて同じように芸能人の噂話をしていて、人々の口の端《は》にのぼるのは、

「あの俳優は実はホモ」

というやつだ。具体的な名前を言えないのが残念だが、

「あの有名歌手の恋人は、あの有名タレント」

などといった、ヒューとのけぞりそうなカップルの名が挙がる。これはもう「都市伝説」といっていいだろう。この種のホモ話は、ふつうの女性たちが大好きだ。

先週、劇団四季の「コーラスライン」を見た。一九七五年初演のNYの、名作ミュージカルだ。日本人ダンサーの、プロポーションとダンスの向上というのはすごいもので、群舞のあまりのうまさにすっかり圧倒されてしまった。

けれどもところどころ時代を感じさせるところがある。それはダンサーが、ホモセクシュアルに生まれたことを告白するシーンだ。マイノリティの苦しみを切々と語るのであるが、二〇〇四年に見ている私としては、いまひとつピンとこない。

今やホモセクシュアルというのは、それほど特殊なことではないだろう。世間一般が認めているかどうかはわからないが、ダンサーというアーティストだったら、ホモでもそう不思議ではないという空気は完全に生まれている。ましてやテレビをつけると、そういうことを売りものにした人たちが我がもの顔でおネエ言葉を喋《しゃべ》っている。それなのにどうして、

「あの人はホモらしい」

とコソコソささやくのであろうか。そしてどうして、この話をみんなが好むのか、不思議である。

不思議なことはまだある。

「あの人は顔を直した」

というのも、よく聞くささやきだ。それもメスを使った手術ではない。ヒアルロン酸やボツリヌス菌を注射する治療だ。プチ整形といって、マスコミは盛んに書きたてている。

「もう一般的なことになりつつあります」

だそうだ。私のまわりでも、

「してみたい。いくらかかるのかな」

などと興味シンシンの女性は多い。その同じ女性が、

「あの人はプチ整形してるのよ。すごく直してるのよ」

などと平気で言う。

そしてもっと不思議なことがある。それは特殊な職業についている女性のセクハラ騒ぎだ。このあいだとても奇妙な記事を読んだ。風俗で働いている女性が、あるお笑い芸人を告訴しているのである。

「日本には売春防止法があるんですよ」

なんて辻褄《つじつま》の合わないことを言うつもりはないが、風俗で働く女性にはやはり偏見を持っている。

記事によると、お笑い芸人が入店して、風俗の女性と関係を持った。その後みんなで

飲みまわり風俗嬢と彼女の友だちとはホテルへ行ったと思っていただきたい。部屋はみんな別々にとったのであるが、風俗嬢と友だちはその芸人の様子を見に、寝ている彼の部屋へ行ったそうだ。そこでナンかあったとしても、そんなに男性が責められることだろうか。

「女優の○○に似た清楚《せいそ》な○○さん」

というくだりがあるが、清楚な風俗嬢という表現は何かヘンだ。それからソープで働く女性が、いやらしい写真を撮られたと、NHK職員を組織ごと訴えているが、これも何かおかしい。

そう、そう、よく男性週刊誌に、風俗で働く女性が紹介される。取材させてもらっているために、記事は彼女たちを大変に持ち上げる。さっきの「清楚な○○さん」に近い表現も出てくる。彼女たちは悪びれることなく、週刊誌に顔をさらしている。そして週刊誌の同じ号に、

「女優の○○に、過去の風俗嬢疑惑が！」

認めるのか、認めないのか、どっちかにしてくれと、私は怒鳴りたくなってくるのである。チョー気持ち悪い。

気持ちいいこと

口からおいしいものを入れる快感もあるが、排泄する快感というのもすごいものがあると思う。

まわりに人がいなければ、トイレで音を消すための水を流さない方がはるかに気持ちよい。冬になって洟《はな》をかむことが多くなったが、あれも快感に入る。鼻がつまっていると本当に苦しい。何度かんでも手ごたえがない時はつまらないが、ひどい風邪をひいて治りかけの時、ズルズルといくらでも鼻水が出てくることがある。大音響と共に、出るわ、出るわ、人間ここまで鼻水が出てくるものだろうかと、ティッシュをしばらく眺めてしまうぐらい。

ある時食事に招待されている最中、このズルズルが始まった。最初は部屋の外に出てチーンとかんでいたのであるが、五分おきにむずむずしてしまいついに居直った。そのうち自分のティッシュは全部使い果たしてしまう。店の人が心配して、店名入りのティッシュをいくつもくれるわ、皆が自分のものを差し出すわ、皆に気を遣わせたぐらい、すごい音だったらしい。

ところでつまっていた鼻が、勢いよくかんだとたん、見事貫通することがある。〝戦利品〟を見ようと、ティッシュを見る。が、何もない。へんだなぁ……。確かに感触があったのに何もひっかかっていないのだ。いぶかしく思いながら、それきり忘れていると大きなカタマリが、セーターの胸のへんにひっかかっていて、その恥ずかしいことといったらない……。なんていう経験は私だけか。

耳かきフェチも意外と多いものであるが、私もそのひとり。以前耳鼻科のお医者さんから、

「ひっかき過ぎて中がひどい状態になっていますよ」

と叱られたことがある。

「耳かきなんか、二週間に一度で充分なんですよ」

が、私にはとても耐えられないだろう。よく「離れ小島にひとつだけ何か持っていくとしたら」というアンケートがあるが、私だと絶対に耳かきだ。これがなくては、夜、眠りに入ることも出来ない。海外旅行にも必ず持っていく。知らない街のホテルへ着くと、夜はバスタブに湯をたっぷり張り、成田で買った雑誌や本を読む。そしてそれを持

ってベッドに入り、耳かきを始める。するとようやく落ち着いて安らかな眠りがやってくる。

が、ここまで愛している耳かきであるが、これを人目につくところにおく人を、私は信じられない。電話の横のペン立てに、あの白いモコモコ頭が見えたりすると、心臓が止まるぐらいびっくりする。あれって絶対に、ベッドのサイドテーブルに、こっそりしまっておくものではなかろうか。私は買うのも恥ずかしい。以前住んでいた原宿の薬局で、カーブといい、硬さといい理想的な竹の耳かきを見つけた。あまりの使い心地のよさに、三、四本まとめ買いをしたものだが、買う時は人目につかないようにした。人がいない時を見はからって、そそくさとレジに持っていったのである。

やはり排泄に使う道具というのは、人前で堂々と使うものではないような気がする。今堂々と書いてるけどさ。

さて、排泄する快感と共に、ちょっとした悪いことをする快感というのもある。子どもが万引きしたりイジメをするのは絶対に許せないが、私の言いたいのは、もっと軽い悪さだ。スーパーの特売の玉子に二度並んだり、ケーキバイキングのパウンドケーキを、こっそり紙に包んで持ってきたりする。

先週の日曜日のことだ。紅葉を見に都心の公園に行った。その帰りに近くの中華レストランに入ったのであるが、中に足を踏み入れたとたん「しまった！」と思った。だだっ広い、というよりも寒々とした店なのだ。安価な店なので家族連れが多い。おじいちゃんやおばあちゃんを囲んだ一家もいるが、香港や中国のような、あの幸福そうな喧騒がないのだ。

この店はテレビによく出てる、有名な料理人が経営している。店のいたるところに、彼の等身大のパネルや写真が貼ってある。有名人と一緒に撮った写真も、店に展示されていた。

しかし運ばれてきた五目ソバはやたら塩っからいし、サービスは最低。横を見ながら、どーんと皿をテーブルに置いていくウェイターばかりだ。みんな中国人で、たどたどしい日本語しか喋れない。それが混乱の元にもなる。

「○○さん（シェフの名）、きっとものすごく安い賃金で、中国本土から若いのを連れてきたんじゃないの」

「そんなのいいから早くソバを食べろ」

「ここの店長みたいな、あのギスギスした女の人、絶対に○○さんの愛人よね、手切れ金替わりにこの店を貰ったんだわ」

「そんなことはどうでもいいから、早くソバを食え」

ついに夫が怒鳴った。

そして最後に、ウェイターに、杏仁豆腐を二つ頼むと、信じられない早さでテーブルに運んできた。

「きっとつくり置きしてんのね。デザートだから、ま、いいけどね」

そして私は気づいた。

「この杏仁豆腐、伝票に書いてないよ。こんなにまずくてサービス悪かったんだから、このまま帰ろうよ。誰も気づかないよ」

「よしなさい」

夫が怖い顔をする。

「誰が見てなくても、そういうことはやめなさい」

私は仕方なく、レジに立っていたあのギスギスした感じの女性に言った。

「杏仁豆腐の二つ分、この伝票にのってないけれど、勘定してください」

「あ、そう。正直に言ってくれたから、ひとり分だけでいいわよ」

あっさり言ってレジをうった。私はなにやらやたらおかしくなり、またこの店に来ようと思ったのである。

ニコール・キッドマンの暮れ

時あたかも年末進行の時であった。

年末進行というのは、編集者の方が早々と冬休みをおとりになるため（イヤ味だな）、

「週刊誌の原稿は三週間分寄こせ」

「月刊誌は二ケ月分」

と理不尽なことをおっしゃる日々である。

物書きの人たちは徹夜の態勢となり、体の弱い人は何度かぶっ倒れる。

が、私は別のことでも忙しい。この時期は毎年私がソプラノをつとめる「六本木男声合唱団倶楽部」（合唱団あらため）が、ディナーショーを開くときである。私もにぎやかしに出させていただくのであるが、歌を憶えるのが結構大変で、週に二回、三回とレッスンの時間をつくる。おまけにこの際の寸劇が、次第にむずかしいものとなっていく

のである。昨年は、な、なんと辰巳琢郎さんとラブシーンであった！　その際わかったことであるが、プロの俳優さんというのは、舞台の上では本当にチュッしないんですね。宝塚のカップルのように、観客に背を向け頰と頰をくっつけてそれらしく見せるようだ。

といったら、友人に、

「そりゃ、相手があんただからよ」

と冷たく言われた。あー、そうですか、悪かったですね。けれども背の高い辰巳さんにしっかりと抱かれたあの一分間は至福の時だったわ。お稽古をしていた頃は、思い出し笑いばかりしていて、

「ハヤシさん、頰がゆるんでますよ」

とハタケヤマに注意されたぐらいだ。

それはともかく、今回はかなり厚い、本格的な脚本を渡された。しかも本番の五日前にである。本読みをしたのであるが、私のセリフはかなり長い。しかも合い間に歌を歌うのである。時は一九二〇年代、禁酒法時代のアメリカ。抗争するふたつのギャング団の中にあって、みなの心を癒《いや》す美しいクラブ歌手マリー。映画でいえばニコール・キッドマンの役どころであろうか。

「クラブの歌手だから、うんと色っぽい光りもののドレスで、一九二〇年代だから、髪型もそのようにしてください」

という演出家からの指示があったのであるが、予算がほとんどないため衣裳は自前である。ギャング役の男の人たちはスーツだからすぐに用意出来るだろうが、私の場合はむずかしい。

団員で演出をしてくれているNHKの方に言った。

「おたくの衣裳部で貸してくれませんか」

「関係ない人にはねえ……。仕事以外はちょっと」

というつれない返事。私は隣りに座っている、団員である露木茂さんの方を向いた。

「じゃフジテレビでお願いしますよ。民放だから、ちょっと融通きかせてくださいよ」

「うちに一九二〇年代のものなんかあったかなあ」

こちらもあまり乗り気でないようなので、私はすぐさま携帯で、アンアンの編集長に電話をした。

「すいません、ヴィンテージのドレスを売っている店を教えてくれませんかね」

さすがにアンアン、すぐさま三軒のヴィンテージショップを教えてくれた。が、そこへ行く前に、私はとりあえず、歌のレッスンの帰り、人から聞いた青山のカツラ屋さんへ向かう。店の中では女の人が二人、カツラにパーマのロッドを巻いていた。

「すいません。一九二〇年代のカツラをください」

ここの店にそんなものはない。今あるカツラをカットしたり、カールをしたりして、それらしく整えるのだそうだ。資料を見せてくれと言われ、ハタと私は困った。

「ほら、禁酒法時代のファッションですよ」

「キンシュホウ？」

若い女性は、何のことか全くわからないようだ。

「ほら、アメリカでお酒をつくっちゃいけないっていう時代があって……、そんなわけでギャングが荒稼ぎして……」

もうこれ以上説明しても無駄な感じ。

「あなた、映画の『華麗なるギャツビー』っていうの見てない？　その時、ミア・ファローがしてたファッションよ」

「見ていません」

仕方なく次の日、いろんな切抜きや資料を持っていった。その日は店長がいて「キャバレー」のライザ・ミネリのイメージはどうかと提案してくれる。

さっそく演出家に言われたとおり、金髪のカツラを頭にのせる。私は言葉を失った……そこにいるのは、どう見てもオカマショーのデブの三枚目役ではないか。お店の人も、

「大丈夫です、直ります、直します」

と必死で取り繕《つくろ》ってくれる。が、金髪はやめ、ブルネットにした。

次はドレスであるが、ヴィンテージものはものすごく高い。保存もよく、素敵なもの

は何十万という値段だ。

「困った、困った」

私はまたせかせかと走りまわる。うちに帰ったらハタケヤマが言った。

「いま、アンアンからまたファックスが届いていて、渋谷近くに貸衣裳屋さんがあって、スタイリストさんの名前を言ったら貸してくれるそうです」

「あ、そう」

しかしもう時間もない。今日は体力を使い果した。明日出かけることにしよう。

それにしてもこの長いセリフ、五日間でどうやって憶えろと言うのだ。私は遊びに来ていた親戚の女の子を相手に、セリフの練習をすることにした。

「あなた、どこから来たの」

「パリからです」

「パリ、ああ、いいわねえ。あそこにはワインもブランデーもあるわ……」

そこへハタケヤマがやってきて言った。

「ハヤシさん、もう週刊○○の××さんが泣いてますよ、今夜中に原稿入らないと落ちるそうです」

が、それどころじゃない。私のカツラはどうなる、ドレスはどうなる。ニコール・キッドマンはちゃんと演《や》れるのか。新しい年はちゃんとくるのか……。

目からウロコ

明けましておめでとうございます。

今年もどうかよろしくお願いします。

思えばこのコラムも、今年で二十一年を迎えようとしている。

「だらだらと自分の身のまわりのことばかり書いて」

とよくお叱りを受けるが、こんなに長く続けていられるのも皆さまのおかげだ。

新年が本当に待ち遠しかった。

ある占いの方に言わせると、

「ハヤシさんは、今年で喪《も》が明ける」

ということだ。

本は次々とベストセラーになり、愛人もふたり出来るらしい。年末は何かともの入りで、預金の残高を見てはため息をついた。が、私はこうつぶやいた。

「あと十日で新しい年になる。そうしたら私の輝やかしい年が始まるのよ。あと十日の我慢だわ」

田辺聖子先生はご著書の中で、

「女の子にとっていちばん大切な才能は、どんな嫌なことがあっても、ひと晩寝たら立ち直ることが出来ること」

とおっしゃっている。私はこれを長いこと胸に刻みつけてきた。新年というのは、新しい一日の三百六十五倍だからすごい。

最近、不安な世相の中、どうやったら毎日をポジティブに生きていけるのか、どうやったら人生を意義深いものに変えられるか、という本がいっぱい出ている。が、この「ひと晩寝たら」というのは、すべての基本であろう。いろいろ追い込まれた時、とにかく私は寝る。そして次の日、いろんなことを朝日の中で考えるのだ。

まあ、仕事のことなどはひと晩たつと非常に前向きになれるが、好転のきざしが見えないのが夫婦喧嘩ですね。私は、もうそろそろ水に流してやるかと寛大な気持ちになり、

「おはよう」

と夫に対して声をかける。が、相手は返事もせず、わざと大きな音をたててドアを閉め家を出ていく。その感じの悪さといったらない。男には「ひと晩寝たら」の才能が欠

如しているのであろうか。

私は夫の背に向かって、こうつぶやく。

「うちのお母さんはずうっと言ってたよ。朝、人にイヤなことをするというのは、その人の一日を台なしにすることだって。だから朝は、どんなことがあってもみなで機嫌よくしなきゃいけないって……」

私はかねがね不思議でたまらないことがあった。それは世の中の専業主婦は、どうしてあれほど夫に対していばっていられるか、ということである。特にお金持ちの奥さんほどすごい。

「ちょっと頭にきたことがあったんで、ダンナにクロコのバーキン買わせちゃった」

「あっちがいけないからさ、ものガンガン投げつけてやったわよ」

「私が怒ってるのわかってて、怖いもんだからメールで謝ってくるのよ」

そういうセリフを、遠い国の言葉のように聞いている私。

世の中の人々は、

「共稼ぎの妻というのは、さぞかし家の中でいばっているんだろう。特に稼ぎのいい女房ときたヒにゃ、亭主を尻に敷いてるんだろうなあ」

と思っているに違いない。

ところが私の知っている限り、稼ぐ妻ほど夫に対して気を遣う。その気の遣いようときたら、もう涙ぐましいほどだ。

私の友人で大企業の管理職の女性がいるが、朝、ダンナがしてくれないからゴミ出しを自分でするそうだ。すると彼女をお迎えの黒塗りのハイヤーが、そろそろとゴミ捨て場まで追ってくるという。

これはスタイリストの人から聞いた話であるが、某スターは、それこそ夫に対してまるで家政婦のように仕えているという。

仕事で早朝帰った時、彼女は寝ている夫に「何が飲みたい？」と尋ねる。すると夫はベッドの中で、わざとむずかしいことを言う。コーヒーとか紅茶とか絶対に言わない。

「レモネードが飲みたいなあ……」

が、冷蔵庫の中にはレモンがない。スターはスタイリストの女性に言ったという。

「悪いけど一緒にコンビニまで車で行ってくれない。レモン買わなきゃ」

本当にこれが働いている妻の現状ですよ、と私は言った。

「どんなに私たちが夫にイバられてるか、世の中に訴えたい」

するとこう反撃された。

「そのスターとかハヤシさんたちは、マゾヒストだから仕方ないよ。そうやって精神のバランスをとってるんだよ」

そう言われてみれば思いあたることもあるが、いまひとつ腑《ふ》におちない。

先日のこと、私たちの所属する団体、〝エンジン01《ゼロワン》文化戦略会議〟が「教育セミナー」を行なった。ゲストには、今、超売れっ子の精神科医で教育評論家、和田秀樹さんをお招きした。私は以前から和田さんの説く「マザコン論」を面白いと思っていた。真のマザコンこそがエリートをつくるという理論だ。シンポジウムの前に雑談をしている最中、私は例の質問をぶっつけてみた。

「専業主婦の人って、どうしてダンナに対してあんなに威張れるんでしょうね」

「それは簡単なことです」

と和田先生。

「専業主婦は、夫のめんどうをとことんみます。するとほどなく母親の役割をするようになるんです。日本の主婦は財布もがっちり握りますからね。すると何年かすると、夫婦の関係ではなく、母親と息子の関係になっていくんですよ。母親は息子に対してエバって支配する、息子はマザコンになっていくというのが日本の夫婦です」

なるほど、目からウロコが落ちた。本当にこんな風にウロコが落ちたのは久しぶりだ。すっきりとさわやかな気分。

コラムというのはこんな風にウロコを落とさせなくちゃいけないだろうな。皆さんのウロコを落とすことが出来たらと思う。今年もよろしく。

クロちゃん、やったね

紀宮さまはちょっとついていなかった。

いろいろ配慮され、正式な婚約発表を二度も延期されたのに、その直前インドネシアで大津波が起こった。とどめはご婚約の日に、あの女児誘拐犯が逮捕されたのである。おそらくテレビ局、新聞社は、どちらをトップニュースにするか悩みに悩んだのではないだろうか。また宮さまの写真と、あのおぞましい男の写真とを、新聞の同じ一面に載せてもいいのだろうかと、考えた人も多かったに違いない。

それにしてもクロちゃんって、本当にいい方ですね。皇室ウォッチャーの私としては、絶対に見逃せず三時前からそわそわテレビの前に座って待っていた。

そしていよいよクロちゃん登場。高校時代の写真では、かなりの美少年に思えたが、現時点ではややおじさんがかってきたかなあという感じだ。失礼ながら、今どきの恋愛マーケットでは、そう高得点は貰えないタイプと見た。見た目が地味だし、ちょっぴりテンポがずれているのかもしれない。今日びの女の子は、みんなテレビに出てくるお笑い系のような、早口で面白いことを言う男の人が好きだ。

けれどもクロちゃんはとてもきまじめで、このきまじめさが、たくまざるユーモアを生んでいる。誠実で優しく、何よりも大切なことであるが人間としての品位に溢《あふ》れている。私のようなおばさんなら、

「なんていい青年」

と大賛成するのであるが、若いお嬢さんはクロちゃんの良さがわかってくれるかなぁ。けれどもさすが紀宮さま、こういういぶし銀のような男性を、人生のパートナーに選ばれたわけだ。

お二人が目を交す時の、あの優雅なしぐさ見ました？　私が皇室の方々から目を離せないのはこういうところだ。今どき、こんな初々しいカップルがいるだろうか。紀宮さまの「どうぞ」と相手をうながされる時の微笑、顎《あご》の動きを思い出してほしい。皇室の方以外に、あんな品のある素晴らしい動作を出来る人がいるだろうか。

「プロポーズの返事は」

という質問に対しては、

「承諾する旨、申し上げました」

だと。なんと婉曲《えんきょく》な美しい言いまわしであろうか。

「その場でハイって答えました」

「すぐにOKしました」

などというはしたないことは決しておっしゃらないのだ。そういえば源氏物語の中で、頭中将《とうのちゅうじょう》のところに引き取られるニセ姫君のことが出てくる。彼女は今の私たちから見ると、はっきりとものを言う素朴な可愛気のある女の子なのであるが、ハキハキしたもの言いは、それだけで、

「なんと無教養な」

などと人々の笑いを誘うのである。

紀宮さまのあの中心部を避けるおっしゃり方は、平安以来の伝統なのだ。

こんなことを言うと失礼かもしれないが、私は皇室の方をテレビで見る時、お香を思い出すのである。伽羅《きゃら》などの高価なお香は、聞く人を千年前の空気の中に誘《いざな》うことが出来るという。皇室の方というのはそういう力をお持ちなのではないか。愛子さまの御所《ごしょ》人形そっくりのお顔を見たり、紀宮さまのあのおっとりとしたしぐさを見るたび、私はたやすく十二単衣《じゅうにひとえ》を着た人々を想像出来るのである。

こういう方を奥さんにしようと思うのだから、クロちゃんはやっぱりタダ者ではない。

ご自分の性格を、

「冷静というよりも、にぶいのかもしれない」

と言っていて、私は思わず「エライ！」と膝を叩いた。ちゃんと自分のことを冷静に見ている、「怖いもの知らず」といおうか、どこか鈍感でなくては内親王さまと結婚しようとは思わないだろう。そしてこの鈍感さこそがエレガンスというものに違いない。

　私たちは記者会見でのクロちゃんの、落ち着いていて立派なことに驚かされた。背伸びもせず、自分を必要以上に卑下《ひげ》もしていない。三十代の男性が、あんな状況であんな風に自然にふるまうことが出来るだろうか。

これはおそらく幼い時から、秋篠宮さまと行動を共にしていたせいだと思われる。あゝいう身分の方の側にいるふつうの者として、どういう風に振るまえばいいか、ちゃんと体得していたのであろう。

えらい方と一緒ならば、どこへ行っても特別待遇を受けたことであろう。学生時代ふつうに旅行しているといっても、駅では駅長が出迎え、人々が頭《こうべ》を垂れたはずだ。宮さまに密着していれば、その前を通ることになる。ここで勘違いするおバカちゃんもいただろうが、クロちゃんはもちろんそんな男の子ではなかった。だからこそ秋篠宮もクロちゃんに深い信頼を寄せ、大切な妹君を託そうとなさったのであろう。

宮さまとクロちゃんを見ていると、平安時代を思うが、大正という時代も頭をよぎる。武者小路実篤の小説に出てくるカップルそっくりだ。

あの時代、深窓《しんそう》の令嬢に異性と出会うチャンスなどあるはずはない。明治時代はカルタ会が唯一の出会いの場であるが、武者小路先生の時代は、家に遊びに行き、友人の妹を見初《みそ》めるというパターンですね。そしてまずお兄さんに意を伝え、お兄さんは妹にそれとなく話すということで、二人の仲は発展していく。紀宮さまのご婚約で久しぶりにあれら一連の小説を思い出した。

そして会見が終わった時、立ってクロちゃんを待ち、先に通した紀宮さま。クロちゃんの後からお出になった。今まではたいていの場合、宮さまが先頭であったろう。

「夫となる方を優先するように」

とお母さまがお教えになったのか。いずれにしても、こんな方を奥さんに出来るクロちゃんは、幸せだ。そしてクロちゃんと結ばれる宮さまもお幸せである。

スコップの音

暮れに東京にも雪が降った。二、三センチは積もっただろうか。

夕方になり、そろそろやんだかなあと思う頃、遠くからスコップの音が聞こえた。パッと身を正す私。

「大変、雪かきをしなくっちゃ」

雪が降ったら、とにかくすぐにうちの前の雪かきをする。これは私の骨身にしみついている、いわば〝家訓〟のようなものだ。

「雪かきなんかすることないよ」

いつものように、私のすることにすぐ反対する夫。

「どうせさ、明日の朝になれば溶けるんだからさ」

私は夫に次のような話をした。

私の育った駅前の小さな商店街は、かなり強固な集合体であった。ここでは四方から自分たちを見つめる目がある。私の愛想のよさ、やたら世間体を気にするところ、見栄っ張りという性格は、商店街育ちに負うところが大きい。みんな仲がよく、ここには人情もたっぷりある替わりに、組織のひとりとしてのしがらみも多々あった。

私の住んでいた山梨の盆地は、めったに雪が降らないが、それでもひと冬に一度か二度は積もるぐらい降る時がある。そうした時は、早朝から商店街総出で雪かきだ。今でも思い出す光景がある。朝まだ早い時間、窓からのスコップの音で、母が文字どおり血相を変えて飛び起きるのだ。

「あ、うちが出遅れた。どうしよう」

ぐずぐずしている父に構わず、大急ぎで身仕度した母は外に飛び出していく。通りのあちこちで雪の山が積まれ、親切な隣人がうちの方にもスコップを伸ばしてくれている。母はそうしたことを大層恥じたものだ。寝坊をしたために、近所の手をわずらわせたからである。

とにかく町中総出で雪かきをすると、陽が高くなる頃には道路がすっかり乾いている。雪が降ったなどとは思えない道路は、わが商店街の誇りであり、団結力の証《あかし》であった。

「だから私ってさ、田舎の子だから、雪かきしない人って信じられないのよね」

私はガレージからスコップを取り出した。豪雪地帯にいるならともかく、東京の雪かきぐらいどうということもない。スコップで雪をかき出す行為は、たまにするから結構楽しい。夫も仕方なく、私を手伝い始めた。

「お、今、車で通った人、僕のこと見て頭下げてくれたぞ」

「そうでしょう。雪かきって自分の家のためだけじゃないんだから。私はね、田舎の子だからこういうところはきちんとしてるのよ」

と胸を張る私。

そして正月の二日、夫の車で山梨へ帰ることになった。よく晴れ上がった暖かい日で、街中はもちろん高速の雪もすっかり消えている。ところが中央高速を勝沼で降りたとたん、あたりは白くなった。三日前の雪がかなり残っているのだ。国道は雪かきされていないために、すっかりスケートリンクと化していた。ノーマルタイヤでやって来た夫は、そろそろとしか走れない。

「全く葡萄園《ぶどうえん》の呼び込みするんだったら、国道の雪かきぐらいしろって言うんだよ」

夫はかなり怒っていた。

「私の住んでいた商店街ではこんなことないと思うわ。あっちの方へ行けば、ちゃんと雪かきしてるはずよ」

が、わが故郷は道路拡張によってか、ほとんど雪かきがされていなかった。昔の美風、いまいずこ、という感じである。

が、嘆いてばかりではいられない。スノーブーツを買わないことには、私も家から出られない事態となる。あちこちにたっぷり雪が残っているのだ。

さっそくスーパーの一階で靴屋をしている、同級生のところへ行った。中に毛皮が張ってある五千二百円のスノーブーツを買う。これで氷と化した道路も歩ける。

そして帰る途中、誰も足を踏み入れていない所を見つけた。こういうところに足跡を残したくなるのが人間の本能であろう。さっそく歩く。振り返る。私って本当にガニ股だと思った。それどころかスノーブーツは底ががっしりしているうえにサイズが大きく、もしここで犯罪が起こり、雪に残された足跡を鑑識の人が見たとしたら、おそらく「成人男子」と判断するに違いない。女でこういう足跡を残す人はめったにいないだろう。

そしてひとつの思い出が甦《よみがえ》った。あれはもう十三、四年前のことになる。真冬の秋田に取材に出かけたのである。その時ある週刊誌に、地方選挙をテーマに小説を書いていた私は、これぞ田舎の選挙というのを見たいと思った。そこで大館《おおだて》、能代《のしろ》などで行なわれている町長選挙を見に行ったのだ。

真冬の秋田は雪がすごいと聞いていたが、想像以上であった。長靴の膝のところまでずぶずぶ雪に埋まってしまうのである。私はこんなに深い雪を見たことがなく、歩き方が本当にわからなかった。雪に埋もれながらわずかずつ前進するしかなかったのだ。

しかし秋田で食べたキリタンポのおいしかったこと。あまりのおいしさに、それからずうっと宅配便で取り寄せているほどである。そしてわが家に、キリタンポ文化を定着させたのが、秋田出身のハタケヤマ嬢である。私が大好物と聞き、お歳暮として毎年一箱くれるのである。そして台所に立ち、自らつくってくれる。比内鶏《ひないどり》からとったあのこってりとしたスープは、おそらく寒いところに住む人の知恵なのだろうなあ。それにしても秋田では雪かきはちゃんと行なわれているのであろう。もちろんしなくっちゃ暮らしていけないものな。

昔私の町でも、別の意味で雪かきをしないと暮らしていけなかった。けれども都市化というものによってしなくなった。ちょっと淋しいし不満だが、「スコップの音が！」と早朝、叫んだ母の声を思い出すと、それもいいかなあと考えたりもする。

あたっちゃった

会食の途中、突然何ともいえない嫌な気分になってきた。胸がむかむかして、もう少しで吐きそう。お腹も痛くなってきた。

やっとの思いで帰ってきたものの、ソファに倒れ込むともう起き上がれなくなった。トイレで吐こうとしてもうまくいかず、その苦しいことといったらない。

原稿の〆切りを明日まで延ばしてもらおうとするが、電話をかける気力がわかず、やっと立ち上がったのは夜も十一時を過ぎた頃だ。

次の日、お医者さんに行ったら、「ノロウィルス」と言われた。一応流行《はや》りものは押さえたわけだ。

夫がうきうきとした調子で言う。

「あのカキがあたったんだよ。間違いない」

お店で出された大好物の生ガキを、私ひとりで四つすすったのは確か三日前。

「ほらさ、潜伏期間は二、三日っていうからちょうどぴったりじゃないか」

そう言えば、私の知り合いはイスタンブールでカキを食べたところ、パリで発病して入院する事態になったんだっけ。カキには目がなく、さんざん食べてきたけれども、このような裏切りに遭《あ》ったのは初めてである。大喰いで胃が丈夫な私は、今まで食べ物でイヤなめに遭ったことがない。アフリカでも、東南アジアの奥地でも元気で太って帰ってきた私。本当に腹が立つ。

「もうカキフライ以外食べないからね」

その後も二、三日は体調がすぐれず、全くひどいめに遭った。土日はどこへも出かけず、読書に精出すこととする。

時間はたっぷりあったので、長いこと放っておいた「電車男」に手を伸ばす。読む前から嫌悪を抱いていた本だ。あたり前だ。インターネットの2ちゃんねるでの会話を記録したものなのである。横書きのネット独特の文章が並んでいて、その読みづらいことといったらない。パラパラとめくって、

「フン、こんなものがベストセラーになるなんて」

と毒づいた。インターネットでのお喋りが売れたら、作家稼業もあがったりである。

読んだこともないくせに、対談で話題に出るたび、

「ああいうものが売れるなんて、出版文化はどうなるんでしょうね」

と小賢《こざか》しいことを言っていた私。

しかし、読み始めたら面白く、途中でやめることが出来ない。一気に読んだ。それどころかラストの方では、涙さえ出てくるではないか。これは純愛小説とうたっているけれども、友情小説、青春小説だな。

読んだことのない人のためにちょっと説明すると、「電車男」は、全篇インターネットでの会話で成り立っている。オタクのサエない青年が、ある日電車の中で、酔っぱらいにからまれた若い女性を助ける。その女性からお礼状とエルメスのカップが届けられ、青年は彼女のことを忘れられない自分に気づく。

「思いきってアタックしろ。食事に誘え」

「デイトの最初はイタリアンだ」

女性とつき合ったことのない彼のために、インターネットで〝仲間〟たちが励まし、いろいろレクチャーするというのがあらましである。

私にとって、インターネットを偏愛し、ディスプレイの中に自分の居場所を見つける人たちなどというのは、理解の外であった。けれどもこれを読む限り、2ちゃんねるに参加する若者たちの中にも、実に心温かく、聡明な人たちはいっぱいいる。特にシニカルな常連が言う、電車男への忠告は、立派な箴言《しんげん》となっているではないか。

自分がハマるとしつこい私は、まわりの人たちに、

「『電車男』読みなさい、読まなきゃダメ」

と勧めまくった。本もハタケヤマに貸したが、ふと思ったのである。

「やっぱりこれはないんじゃないかな」

本当にこれが実話だとしたら、電車男を励ますために、パソコンのキイを打ち続けた仲間たちはいったいどうなるんだろうか。電車男のデイトの結果を知ろうと、何人もの人々が徹夜でパソコンの前に座り、待ち続けた。そして電車男の恋が実ったと知った時に、どっと起こる歓声と拍手。あちこちで花火が上がるような騒ぎだ。何人かのオタクたちは、こんな感動は初めてだと口にする。生まれて初めて、友情というものを感じた者もいただろう。一度も会わず顔さえ知らない若者たちが連帯感を持ち、インターネットを通じて握手を始めたのだ。ここで読者はぐっときたのであるが、いま仲間たちは電車男をどのように感じているのか。

自分たちによってつくられたプライベートの会話の集積を、彼は出版社に持ち込んだ。印税は寄付されたり、いろいろと工夫して各方面にふり分けられているらしいが、彼にもかなりの金額が渡ったはずである。今まで自分たちと同じように薄汚ないアキバ系だった男の子が、ステキな恋人と大金を手にしたのである。〝仲間〟との会話のおかげで。しかし2ちゃんねるの匿名性により、彼らには一銭も支払われない。

出版社に、このデータファイルを持ち込むことを思いついたのは、誰なのだろうか。彼と恋人になった、あのエルメス嬢だろうか。本によると、年上のキャリアウーマンらしい彼女は、かなり世故《せこ》にたけていそうである。彼女が、

「これ、本になったら絶対に売れるわ。本にすべきよ」

と言ったのだろうか。

編集者が、偶然この2ちゃんねるを見ていたという話を、私はあまり信用しない。いずれにしても2ちゃんねるに棲息《せいそく》するオタクたちは、

「やっぱり友情なんて信じちゃいけないんだ。あいつ、オレたちの秘密を売ったんだ」

と会話しているに違いない。うーん、やっぱり淋しい。読後は一見さわやかで、後からじわじわ嫌な感じがわいてくる。カキにあたったみたいだ。

一攫千金

夫の知り合いが新しいマンションを買って引越した。

それがただのマンションではない。都心の一等地に建てられたばかりの、いま日本でいちばん豪華といわれるマンションである。なんと最低価格が三億円、五億円が最多売り出し価格というからすごいではないか。

「一度そういうところを見てみたい」

夫にねだって連れていってもらうことにする。

エントランスにど肝《ぎも》を抜かれた。ふつうのマンションなら十戸はつくれそうな広い廊下がずっと続いている。奥に小さな滝が流れていた。

インターフォンで相手を呼び出し開けてもらう。中に入るとコンシェルジュのカウンターがあり、ここで訪問先を告げる仕組みだ。なんと贅沢《ぜいたく》な空間であろう。しかしもっと驚いたことがある。エレベーターが開いて、子どもを連れた若い夫婦が降りてきたのである。知り合いの部屋に通されるやいなや、私は言った。

「どうして、こんなマンションに、あんな若い人が住んでいるんですか」

「そんなの珍しくないよ。ここ、小さい子どもがいる三十代の夫婦でいっぱいだよ」

と教えられる。

「そういう人たちって、いったい何をしてるんですか」

「やっぱりIT関係だろうね。今、東京の豪華マンションは、彼らが買い漁《あさ》ってるよ」

最近わかったことがある。IT長者というのは、楽天の社長三木谷さんやライブドアの堀江さんだけではない。日本中でせいぜい十人ぐらいかと思っていたら、どうも千の単位で存在しているようなのだ。

私は夫に言った。

「パソコンにこれだけお金遣って、毎晩毎晩夜中まで動かしているんだから、何か新発明したらどうなの」

夫曰《いわ》く。パソコンが好きで使ってるのと、何かを開発するのとは、まるで違うことだ。けれどもいいな、いいな。私もこのITブームにのっかって、お金稼ぎ出来ないものであろうか。

実をいうとこの私、仲のいい人に誘われてサイトをひとつ持っていた。それは携帯で恋愛相談を受けるというものであった。アクセスの数によって、こちらの収入も増えるはずだったのに、いつまでも基本のまま。そして今年の三月、ついに打ち切りが決まった。とほほ……。私とITというのは、本当に相性が悪いらしい。実はこの前にもひとつ中止になっているのである。

私はITによる一攫千金《いっかくせんきん》を諦めた。

こうなったら株ではないだろうか。私は株というものを一度も所持したことがなかった。が、ある人から言われた。

「ハヤシさん、このゼロ金利時代に銀行にお金預けることぐらいバカらしいことはないでしょう」

そういえばゼロ金利どころではない。ある日私は、お金を預金しに行った。たいした額ではない。引き落とされることが決まっているお金があったので、その分を入れておこうと思ったのだ。

すると、ATMに、こんな文字が浮かんだ。

「この時間、お預けになると手数料がかかりますがよろしいですか」

ひぇーっと悲鳴をあげたとたんあることを思い出した私。小学校の冬休みの日記にこんなことを書いたことがある。

「お年玉をもらいました。おかあさんは貯金するようにといいましたが、利子をとられるかと心配です」

いかにも子どもらしい発想（勘違い）と、先生が三重丸をくれた箇所だ。しかしこれって現実になっていたのである。

「どうして預金するのに、手数料がかかるのよ。バッカみたい」

そこで帰ってくればいいものを、やっぱり預金してしまった。またくるのがめんどうくさかったからである。

まあ、そんなことはどうでもいいとして、とにかく銀行にお金を預けても何にもならない。頭のいい人たちは、とっくにいろんなものに投資している。

そこで私も株をやろうと思いたったのであるが、何を買っていいのかよくわからない。ある日、若い編集者がうちにやってきて言った。

「ハヤシさん、五日前のことですけど、電車の中ですごく大きな声で、ケイタイで話してるおじさんがいたんです」

その人は相手に向かって、

「お前に金儲けさせてやるからよく聞いとけ」

と怒鳴ったそうだ。

「いいか、株番号〇〇はかくかくしかじかこういう理由で近いうちに十倍に値上がりする。だから今のうちに買えるだけ買っておけ」

編集者の男性は傍でこれを聞いて、番号を暗記していた。

「えーと、後で手帳に書いといて、ちゃんと調べたんです。〇〇〇という会社で、この三日ぐらいで確かに上がってます。だけどまだ十倍にはなってません。買うなら今のうちかもしれませんよ」

「ふうーん、でもなんか怪しいなあ、わざと情報流してるのかもしれないよ。試しにあなた買ってみたら」

「株ってどうやって買えるんですか」

「身元証明するものと印鑑持って、どこかの証券会社へ行って口座開いてもらうんじゃなかったっけ」

なんだちゃんとわかってるんじゃないか。なのに体は動かない。相変わらず一攫千金を夢みているだけだ。

それにしても射幸心《しゃこうしん》をあおる今日この頃だよなあ。今、バブルの頃をテーマにした小説を書いているが、あの頃投機の対象は土地であった。ふつうの人はちょっと動かせない。それが今は見よ、テーブルの上にあるパソコンひとつでここから大金持ちが生まれている。唯一穏やかな気分になれるのは、私はパソコンが全くいじれない。あの人たちに儲けさせてないっていうことだろうか。

新しい習慣の根づく時

スーパーの前を通りかかったら、なんと太巻き寿司が店頭で売られているではないか。こんなのを見るのは、クリスマスケーキ以来である。

恵方巻《えほうま》きといって、節分の夜にこれをくわえて笑う、という風習がある。が、この奇習を昨年まで知っていた者が、何人いるだろうか。少なくとも関東に住む私のまわりの人たちはほとんど知らなかった。それが今年は右を向いても、左を向いても「恵方巻き」である。ちょっとイヤな感じだ。別に海苔業界が企《たくら》んでいるからイヤとか、スーパーが売上げを伸ばそうとしているからイヤ、というのではない。今度のこの「恵方巻き」、ブームをつくり出そうとするパワーがやたら強いのだ。「昔からの習慣」というお墨つきもあり、各マスコミも好意的に応援している。この一丸となった雰囲気がイヤ。

そこへいくとわが業界の「サン・ジョルディの日」は、全くふるわないではないか。

スペインの風習をとり入れたものらしいが、男性が女性に花を、女性が男性に本を、というのもどこか気恥ずかしい。いや、このキャンペーンの趣旨はよかったのであるが、定着する前に出版不況があり、みんな本を読まなくなったということか。

そうそう、バブルの頃にはハローウィンというのがちょっと流行った。今のように子どもたちの行事、というのではなく、ディスコやホテルで大人が仮装してパーティーを開いたのだった。時期になると表参道を、ぬいぐるみやお面をかぶった人たちが酔っぱらって歩いていたっけ。あの頃はみんながお金を遣いたくて、いろいろイベントを考えていたという感じだ。世界でいちばん早くボージョレー・ヌーボーを飲もうと、タキシードやドレスを着て成田の倉庫へ行く一団があった。ここで到着したばかりのボージョレーの栓を抜くのである。

「ひとつの文化が浸透するためには、それ以前に似たものがなくてはならない」
と何かの本に書いてあった。スパゲティがこれだけ日本人に受け容《い》れられたのは、うどんやそばといった麵《めん》文化があったからだというのが例に出されていた。恵方巻きはどうなるか。節分の夜には豆というちょっと変わったものを食べる習慣があるし、ハレの日に鮨は欠かせない。二つの要素をミックスして深くしたのが恵方巻きだろうか。うーん、ちょっと無理があるという感じ。

と人に言ったら、

「バレンタインはどうなのよ、あれなんかゼロからの出発じゃん」

という指摘であった。あれは中元、歳暮の変形のような気がして仕方ない。どうでもいい安いものを職場の男性に配り歩くではないか。

ところでこれは行事とは違うけれども、芸能人が結婚する時、相手のことをひた隠しにする習慣、いつから始まったのだろうか。ひと昔前は、相手が一般人の場合、記者会見には出さなくても、一応のプロフィルくらいは公開した。ところがこの頃は「一般人につき名前等非公開」という、味もそっけもない文字が記されている。

つい先日、あるタレントさんが結婚するに際して、

「一般人なので、氏名、年齢、職業、出身地は非公開にさせていただきます」

と言っていた。

「ついでに性別も非公開とすればいいじゃない」

と、思わず突っ込みを入れた私である。

反対に何か不祥事があると「おわび記者会見」というのをするが、あれも昔よりずっと盛大になったような気がする。

先週、歌舞伎俳優の七之助さんが、タクシーの料金をめぐって警官を殴ったとかでえらい騒ぎである。ちょうど勘九郎さんが勘三郎を襲名する時であったから、ますます騒ぎは大きくなった。ワイドショーはもちろん、NHKニュースでも扱ったぐらいだ。

勘九郎さんの浅草お練《ねり》の様子をテレビで見ていた人はみんなこう思ったろう。

「芸は脂がのりきって人気は絶頂。新しい狂言は全部大あたりで、ニューヨークまで行っちゃった。二人の息子さんも大あたりで立派に育ってる。この人ってもうパーフェクトな役者人生よねー」

それが襲名を祝うパーティーの直後、今度の事件である。勘九郎さんはさっそく記者会見を開いておわびしていたが、私は見ていておやっと思った。勘九郎さん、息子のしたことをそう悪いことだと思っていないのではないか。間違えていたら申しわけないが、決して不遜《ふそん》な態度ということではなく、何かいろいろ含んでいるような気がして仕方ない。恐縮している親を演技している感じなのだ。

もちろん警官を殴ったのは悪いことだし立派な犯罪であるが、私のまわりでは、

「クスリやってたわけでもないし」

という声は高い。そもそも六本木から文京区までは、かなり距離があるが、八千円という料金はちょっとヘン、いったいどんな経路をたどったんだろう。

「高いよ、いったいどうしたんだよ」

というやりとりがこじれたものだろう。

「もう息子のしたことはバカとしか言いようがありませんが、私も若い頃は、そりゃあバカも無茶もしたものです。酔っぱらって誰かの自転車に乗って交番のお世話になった

こともあります（注・ご本人のエッセイにある）。殴り合いの喧嘩もしょっちゅういたしましたが、あの頃は世間もまだ甘くて、役者のしたことだから仕方ないと、見過ごしてくださったような気がします。しかし警官を殴るなんてとんでもないことで、息子は私が殴っておきます。酒の飲み方もいちから鍛え直します。ですから皆さんもまるで大層な犯罪者のように騒ぎ立てるのはやめてください」

私は勘九郎さんがこう言いたかったような気がして仕方ない。ね、そうでしょ。

禁断の地

旧暦にすると、新しい年の始まりは節分を過ぎたあたりらしい。

パリに住む友人から、国際電話がかかってきた。どういう回線を通すのかわからぬが、いつも「長話ＯＫ」の国際電話だ。

「マリコさんと私の運勢は、今年からすごくよくなるのよ」

彼女は四柱推命《しちゅうすいめい》で調べてくれたらしい。

「節分を過ぎたとたん、目に見えていいことばっかり起きるのよ。去年は最低だったけど」

同じことを別の人からも言われた。昨年は本を三冊しか出さず、どれもあまり売れなかった。先日税理士さんがいらして言うには、売上げ前年比マイナス四十二パーセントだと。ふつうの会社だったら、大変なことになっている。

「だけど節分過ぎたら、マリコさん、急にお金が入ってくるはずよ。もう心配することはないのよ」

彼女があまりそう言うもんで、買ってしまいました、春の着物と帯。呉服の支払いは、着物が仕上がってからになるので、今から一ケ月後。当然節分はとうに過ぎている。

着物を買った女の人でないと、この心理はわかってくれないと思うのであるが、高価なものを目の前にすると思いは千々《ちぢ》に乱れる。自分の預金口座の残高を思い浮かべ、とても無理だわと首を横に振る。その時、店員さんがのんびりとした口調でこう言うのだ。

「ゆっくりお納めさせていただきますから、お支払いはその時にでも」

着物を買う女というのは、うんとお金持ちか、私のように楽天主義のどちらかだ。二ケ月か三ケ月後には、大きなお金が急にころがりこんでくるような気がするから不思議である。何とかなる、と本気で思う。

それにしても、私は長いこと戒《いまし》めていたはずではないか。着物の展示会には、もう二度と近づかないと。

この数年というもの、私は着物から遠ざかるばかりだ。その理由の第一は、私のシチュエーションが、あまりにも着物とぴったりしてきたことであろう。昔はちょっとしたところへ着物でいくと、みんな驚いたり喜んでくれた。

「えー、ハヤシさんが着物なんて」

が、年を経るごとに意外性は消えていくばかり。今私は思う。

「デブで中年の女性作家が、着物を着たって何の珍しいことがあろう」

つまりヘンな貫禄が出てきてしまうのである。それに最近着物ブームらしいが、雑誌に出てくるのは紬《つむぎ》ばかりである。紬はショートヘアに似合うし、知的でシンプルな感じが現代の女性の心をとらえたのであろう。女性誌でもやたら特集を組んでいる。

しかしはっきり言って、ワンパターンの感は逃れられない。無地や格子だけの組み合わせには限界がある。私は着物の魅力というのは、季節をメッセージする、染めのあの野暮《やぼ》ったい美しさにあると思うのであるが、どうも時代とずれてしまったみたい。今、グラビアに友禅の訪問着で出たりすると、なんか「金持ちのおばさん」のイメージになってしまう。紬の地味な方が洗練されて見えるのだ。

それにさらに言うと、最近のアンティックブームが、私の着物離れに拍車をかけた。昭和初期の着物がリサイクルでやたら売れているのだ。しかしこのあいだ酒井順子さんも書いていらしたが、この着物、ビンボーったらしい。それどころか単に汚ないのである。このあいだの成人式、全部アンティックでまとめた女の子たちのグループに出会い愕然《がくぜん》とした。まるで「襤褸《らんる》の旗」といおうか、ボロ布をまとっているようにしか見えない。メイクも不潔ったらしいものをしているので、岩井志麻子さんの「ぼっけえ、きょうてえ」（昭和初期のお女郎さんがひとり語りするホラー小説）の世界である。思わず後ずさりしてしまった。

こういうことを書くと、

「おばさんがいろいろ言うので、若い人が着物を着なくなるのだ」

と言う人がいる。また、

「昔も洋花模様の流行や、アクセサリーをじゃらじゃらつける着方が生まれた。だから今、新しい着こなしをするのはいいことだ」

という意見もある。が、ちょっと待って欲しい。着物が日常着だった時代にいろいろ新しい着こなしを工夫するのと、今のように全く無知のところからとんでもない着こなしに飛ぶのとではまるで違う。ぐちゃぐちゃ出鱈目《でたらめ》、「ぼっけえ、きょうてえ」のアンティックは、着物の本質を損《そこな》いこそすれ普及にならないと思う。

この私とて、新しい着こなしで素敵なものがあったら素直に認める。先日、ミュージカルの初日にいったら、お正月のこととて神田うのちゃんが着物でいらしていた。なんと豹柄《ひょうがら》の小紋で、髪飾りも帯締めもデコラティブなものだったが、その可愛いことといったらない。新しい着こなしというのなら、あのくらいのセンスは見せてほしいな。

若い人がアンティックを取り入れるのにすべて反対しているわけでもなく、可愛く着こなしているコもたまに見かける。清潔感があるかないかの違いであろうか。

前置きが長くなったが、友人の金持ちの奥さんから一緒に展示会に行ってと誘われつい「禁断の地」に足を踏み入れてしまった私。一日めはそう高くない付け下げを買い、まあこのくらいならいいかな、と思ったが、奥さんはこう言うではないか。

「決められないので、来週の展示会も付き合って」

ここでもつい帯を買った私。が、彼女の方も超高価な絞りの訪問着をお買上げ。国産の新車が買える値段と思っていただきたい。

「外商から明細がきたら、パパ（ご主人のことですね）がびっくりしちゃうかも」

こういうお金持ちの奥さんと、一緒に着物を買った私を、つくづくバカだと思った。前年比マイナス四十二パーセントの私がこんなもの買って……。私の中で、着物はさらに遠ざかっていく。

中年の行方

「オペラ座の怪人」の映画を見た。ミュージカルよりも、怪人とクリスティーヌとの関係がずっとわかりやすくなっている。

怪人は醜いストーカーではない。彼女と彼とは、音楽を共通の官能の道具として、二人の世界に酔っているのである。

それにしても主役のクリスティーヌを演じる女優は、撮影時まだ十七歳だというのに、なんという色っぽさであろうか。映画の主題をちゃんと理解して、なんともいえぬ恍惚《こうこつ》の表情をつくる。怪人の歌う歌に酔いしれて、じっと目を閉じる顔のイヤらしさ、艶《つや》っぽさといったらない。

「こういう十七歳がいたら、とても太刀《たち》打《う》ち出来ないよなあ」

そうでなくとも、このところ私はしみじみ年増の悲哀を嚙みしめている。仲よくしていたインテリの男性が、つまんない若い女とつき合っていたという例がこのところ多い。

「結局は若くて綺麗な女にかなうはずはない」

そう、このセリフを何年か前に聞いたっけ。若い夫に浮気された、うんと年上の奥さんが、酔って私のところに電話をかけてきて言った。

「ハヤシさん、私は小柳ルミ子に言ってやりたい。若くて綺麗な女には、どんなことをしてもかなわないって」

ちょうど小柳ルミ子さんが大澄賢也さんと結婚したばかりの頃で、熱いところを世間に見せつけていた。この後、その夫婦はヨリが戻ったかに見えたのであるが、先日十年ぶりに夫の方に会ったら、

「やっぱり離婚しました」

ということであった。若い女性と一緒だったが、深く詮索しないことにした。

そう、このあいだもこんなことがあった。親しい男性が私にこう言ったのだ。

「僕はもう色も欲もないよ。こうしてハヤシさんとバカっ話をしてるのがいちばん楽しいよ」

「ほら、ごらんなさい」

私は夫に自慢した。

「みんな私の魅力に気づいたのよ。若い女とキャッキャッやったって空《むな》しいだけ。私み

たいな人生のキビを知ってる女が、本当に楽しい相手だってことがわかったのよね」

「だけどあの人、このあいだ酔ってこう言ってたよ。犯罪にならなきゃ、女子高校生とつき合いたい。やっぱり女は若くなきゃ駄目だって」

かなり裏切られたような気がした私である。

しかし今回のチャールズ皇太子の再婚である。とても幸せそうな二人。失礼であるが、カミラ夫人を見て、

「あれじゃ、亡くなったダイアナ妃の方がずっといいんじゃないか」

と思う人は多いに違いない。

「ホーキに乗ってきそうなお婆さんじゃないか。何を好き好んで、あんなお婆さんと結婚しなきゃいけないんだ」

とはっきり言う人もいる。私も最初はとまどいをおぼえたが、

「カミラ夫人というのは、よっぽどすごい魅力の持ち主なんだろうなあ」

と思わずにはいられない。皇太子というのは、相当おつらいことが多い仕事だろう。ストレスもたまりにたまるに違いない。それなのに家に帰った時、あまり話も通じない若い妻がいたらどうであろう。亡くなる前のダイアナ妃は、いろいろ社会貢献に目を向けていたが、結婚した頃はあまり勉強も好きでない（中卒の学歴だったという）、ロック好きの女の子だったと聞く。二人で話す会話もおのずから限界があったろう。

日本の皇室もそうであるが、ああいうやんごとなき方は、家庭が完璧な世界でなくてはお困りのはずだ。ふつうの男性だったら、奥さんに不満があったり、不仲だったりしても、外の女性でいろいろ〝微調整〟することが出来る。しかし身分の高い方々はそうはいかない。外出も自由に出来ないならば、奥さんが恋人であり、自分の仕事をわかってくれるパートナーでなくては困るのだ。

この点カミラ夫人は非常に巧みだったそう。

「チャーリー（そう呼んでるのかな）、あなたの言うことはわかるわ。でも国民はどう考えているのか、もうちょっと冷静になってみない？」

などというようなことを口にし、チャールズさんを慰め、あるいは励まし続けたのであろう。

が、パートナーの方面は完璧としても、それを男女の愛として維持することはかなりむずかしい作業ではなかろうか。相手のことを愛し尊敬しながらも、オスの本能は若く美しい女性を求めたりはしなかったのだろうか。

男の人の不思議さは、自分が枯れたからといって、決して枯れた女性を求めないことにある。自分の衰えかけた生命を補おうとするかのように、若い女性を好むのである。ある男性が長い不倫の末に、奥さんが亡くなり、かねてからの愛人と正式に結婚した。が、彼女は六十代だったので、まわりの多くの男性が言ったものだ。

「せっかくひとりになったんだから、何も六十のバアさんと結婚しなくたっていいじゃないか」

私の女友だちが五十代で再婚することになった。すると四十代の男がこうのたまったではないか。

「げ、五十代の女とスルなんて気持ち悪いなあ」

まわりの女たちが激怒したのは言うまでもない。

「あんた、何て失礼なこと言うのよ」

「そうよ、あんただって四十半ばで、若い女からみたら立派なおじさんじゃないのッ」

しかしこういうことに抗議しても、やっぱり空しいだけである。日本の男は、つまるところ女性の最大の価値を若さにおく。それは肌が美しい農耕民族の宿命だと私は思う。

そこへいくとアングロサクソン狩猟民族の方々は、女性の肌が多少こわばって皺《しわ》があっても気にしないのではないか。ヨーロッパのマダムたちの、皺、シミだらけの肌に宝石をじゃらじゃらつけたあの迫力は、我々とはまるで違う美意識があると教えてくれているようだ。中年のあり方も全く違うようである。

オーラの条件

この号が出る頃には結着がついているかもしれないが（と書かなければいけないのが、週刊誌のコラムのつらいところである）ライブドアの堀江社長とフジテレビとの戦い、本当に目が離せない、毎日手に汗握るような株ゲームが展開されている。

私は昨年、堀江社長との対談の後記にこう書いた。

「この人を好きかどうかというのは、大人のリトマス紙のようなものだと思う」

うちの夫などは、さしずめ真赤に反応する酸性か!?

「こんな若造がふざけやがって。だいたいこんなわけのわからんもんを、ちやほやするマスコミもマスコミだ」

と蛇蝎《だかつ》のごとく嫌っている。そんなに嫌いなら見なきゃいいものを、帰るやいなやニュースに釘づけになり一喜一憂している。コツコツ働いてきた中年サラリーマンにとって、彼の存在は許しがたいものらしい。

「ざまあ見ろ、こんなのがフジテレビに勝てるわけないだろう。いい気味だ」

が、私のまわりの若い人たちは、たいてい青く反応する。

「ハヤシさん、ホリエ社長に会ったんでしょう。僕はあの人、マジで尊敬してます」

という、ピュアな青もあれば、

「面白いから何やったっていいじゃん」

少々あやしげな青もある。

私はといえば、今回のことは分をわきまえていない。かなりやり過ぎと思うものの、ご本人を嫌うことはない。会ったことがあるせいか、憎めない、可愛気のある青年だと思っている。弱アルカリ反応であろうか。

しかし客観的に見ると、堀江さんというのは、若者に渇仰される多くの条件を持っていると思う。
①ITという、若者によって支えられている文化をひっさげて登場したこと。中には怪し気なサイトもあるらしいが、ゼロからの出発であることは間違いない。
②外見は美男子ではないけれども、決して醜男《ぶおとこ》ではない。愛敬と知性がある顔立ちだ。ホリエモンという愛称もぴったり絵になる。
③これで学歴がなかったら、成り上がりの劣等感みたいなものが見え隠れしただろうが、

ご存知ホリエモンは東大中退。最高の肩書きを手にしながら、いらないとわかったらさっさと捨てる。そのいさぎよさがカッコいい。

④破れかぶれでとんでもないことを仕掛けてくるが、そのチャレンジ精神が、現代の閉塞感をどれほど救っているだろうか。政治家も実業家も二世が増えた今、こういうハチャメチャなことをしてくれる人間に、若者は拍手喝采する。

⑤金があれば、美女を手に入れられることを実践している。今のところ、ステディなのは無名のタレントさんであるが、そのうち人気女優とか、人気アナとかと噂を立てられそうだ。

⑥バブル時代のにわか長者と違って、金むくのロレックスや、イタリア製のスーツを身につけない、実は高価なものらしいが、Tシャツにジーンズ姿が、いかにも二十一世紀のリッチマンだ。

⑦話す口調が、ちょっと生意気でいい。うんと生意気だと感じ悪いが、あれくらいがギリギリ。

「若くて、何かやる人はこのくらいの元気がなきゃ」

と年寄りたちにも思わせる。

「もっとやれ、やれー」

などと無責任なことを言うつもりはないけれど、あまりかわいそうな終わり方にはなって欲しくないと思う。いってみれば、大フジテレビに戦いを挑んだドン・キホーテであるが、（再びこの号が出る頃にはわからないが）あまり悲惨な結末は見たくない。

ホリエモン、早くフジに頭下げた方がいいよ、などと思うのは年とった証かしらん。若い人なら、

「死ぬまでぶつかってくれ」

と思っているに違いない。

ところでホリエモンもそうだが、旬《しゅん》のまっただ中に生きている人というのは、不思議な光線を発している。これをオーラという。時たまだけれども、これが見える時がある。昨年のはじめ、うちの駅前商店街を歩いていたら、向こうから酒井順子さんが歩いてきた。昔から知っているが、あれーっと思った。こんなにキレイだったかしら。もともと可愛いお嬢さんなのだが、その時、なんといおうかあたりをはらうような雰囲気だったのである。思わず私は叫んだ。

「あなた、デビューの時から変わらない清楚さね」

本当。透きとおるような白い肌にトレードマークの眼鏡。この業界でこんなにスレてない人も珍しいかも。

そしてその直後、「負け犬」が大ブレイクした。私が見たキラキラは、あの前触れだったと今にして思う。

その反対に以前あったオーラが、すっかり消えている人に会ったことがある。

「あれ、この人、こんなに地味だったのか」

と驚いたくらいだ。その後すぐに訃報《ふほう》を聞いた……。

つい先日のこと、新幹線に乗っていたら、サングラスをかけ、帽子を目深《まぶか》にかぶった女の子が、よろよろと歩いていた。その手をマネージャーらしき男がひいている。うつむいてゆっくり歩く彼女は、かなり疲れた様子で、顔を上げない。背中を丸め、うつむいたまま歩く。かなり病的な感じ。

「歌手の○○ですよ」

隣りの編集者がささやいた。超人気のロッカーだ。彼女が次の車輛に移ると、おつきの人たちが五人、カラカラとカートをひいてきたのには驚いた。

「きっと地方公演に行くんですよ、すごいですね、○○に会えるなんて」

編集者は非常に喜んでいたが、私は青ざめた、やたら細っこい彼女からなんのオーラも感じなかった。

そう、オーラっていうのは、かなり量感を必要とするものかもしれない。その点ホリエモンは有利だ。応援は出来ないけど、カラダだけは気をつけてね。

最後の手段

食べることが何よりも好きな我々三人、今年の「なごりのフグ」を食べることになった。

私はフグを食べる時、ワリカンを原則としている。もちろん、年上のうんとお金持ちの方にご馳走になる時は別だが、友だちやちょっとした仕事関係だったら、やっぱりワッた方がよい。我ながら名言だと思うのであるが、

「フグを人におごられると心が痛む。私がおごると財布が痛む。よって仲よくワリカン」

を提唱している。

まずは乾杯。私はちょっとだけビールに口をつける。

「あれ、ハヤシさん、ヒレ酒は飲まないの」

「私、アルコールはやめてるの。ここんとこ太っちゃって」

昨年買ったパンツをはこうとしたところ、ジッパーがきつい、なんてもんじゃない。太もものところでひっかかってしまった。悲しい、というよりも私は不思議でたまらない。

このパンツは本当に私のモノであろうか、私はかつて、本当にスルスルとこのパンツをはいていたのであろうか……。

「この忙しいのに、パーソナルトレーニングにだって、ちゃんと週二回行ってるんですよッ。ストレッチも含めて、みっちり二時間汗を流してるのに、なんか太るばっかりでイヤになっちゃう」

「最近、まわりで十キロ、十五キロ痩《や》せた人がいるけど、彼らに共通しているのは、炭水化物とアルコール、甘いものをやめたことだね」

とサエグサさん。

「そう、そう、そうなんですよ。私もここのところ炭水化物を断ってるのに……」

「僕もさ、本当にいろんなことをやったよなあ……」

サエグサさんは遠いところを眺める目つきとなる。この方も私と同じように、年季の入ったダイエッターである。

「薬で痩せようと頑張ったことがあるけど、油を吸収するっていうやつ、あれってウンコが脂っぽくなるんだよね」

個室なのをいいことに、フグを食べながらどんどん話は下の方へ行ってしまう。

「脂っぽいからスルリと出ちゃう。ちょっとお尻に力入れると、あれって、こう……」

すぐにそういう表情をしてくれるのが、サエグサさんのいいところである。

「出ちゃうこともある。それから×××っていう漢方もひどかったよね。なにしろ講演の最中に、トイレ行きたくって、顔面蒼白になる。あれはただの下剤」

「そう、そう、あれはひどかった」

「でもさ、僕はいろいろ試してみて、よかったものしかハヤシさんに薦めてないよ」

「そうか、それでしつこく断食道場に誘ってくれたんだ」

ここにもう一人の肥満気味の友人で超人気スピリチュアリスト、エハラさんが加わり、私たちはいつしか同窓会のような雰囲気になっていく。実は私たち三人、同じダイエットの先生に二年間ついていたという仲である。エハラさんは言う。

「五十キロ痩せて、二十五キロ戻ったから、結局は二十五キロダイエットしたっていうことですかね」

「でもあの頃はよかった……」

と私も昔を懐かしむ。

「ジーンズだって、かなり細いサイズではけたし。このあいだひょんなことからLサイズコーナーに迷い込みジーンズを二本買いましたよ。ここに来ればもうサイズに悩まなくっていいと思うと、うれしいような、悲しいような……」

「こうなったら、僕たち三人、またダイエットの先生に頭下げてやってもらいましょうかね」

「僕は夜、必ずお酒が入るから、むずかしいよね」

私たち三人は、

「どうして痩せないのだろう」

と頭を抱えた。

「もうこうなったら、寄生虫しかありませんよ」

私は叫んだ。

「ほら、昔、日本が貧乏だった頃は、栄養をとられるから寄生虫はいけなかったんでしょう。でも今だったら、炭水化物と脂肪と糖分をいっぱい食べてくれる寄生虫って共存出来るわよね」

「そう、そう、あれでマリア・カラスもすごい減量に成功したんだよ」

サエグサさんが、いかにも音楽家らしいことを言った。私の中で寄生虫のイメージがどんどん出来上がっていく。それは口を開けてピーチクパーチク叫んでいる、ツバメのヒナのような姿である。

「でも寄生虫って、すごくイヤみたいですよ、お尻から、ずるずると長いものが出てくるんだって」

「でも、今だったらバイオの力で、すごくかわいくておリコウな寄生虫が出来るんじゃないかしら」

　ツバメの子どもみたいなのがいいな。

「寄生虫をお腹の中で飼うとしたら、ちゃんとした専門医につきたいですよ。もうそろそろ役目は済んだから、薬で逝《い》ってもらいましょうとか」

「そしてオヤジに出てってもらって、若くて元気のいいのと交替する」

　話はどんどん盛り上がった。するとここで生きている百科事典といおうか、生きているインターネットと呼ばれるサエグサさんがきっぱりと言った。

「あのね、インターネットでサナダ虫買えるよ」

「えー、本当ですか」

「それから医者のことだけど、僕は日本一の寄生虫の権威も知っている。ちゃんとやるつもりだったら相談にのるよ。紹介するよ」

　そうか、医者付きで寄生虫をお腹の中で飼ってみようかなとふと思い始めた私、もう最後の手段しかない。

　私たちの間でここのところ寄生虫問題は、結構真剣に話し合われている。

よその家では

毎週私が欠かさず見ている番組に「大改造!!劇的ビフォーアフター」がある。不便で古い家を、「リフォームの匠《たくみ》」が、徹底的に直すという番組だ。はっきり言って、築四十年ぐらいの、そりゃあボロい建物がある。全部壊して更地《さらち》から始めた方がずっとてっとり早く効率的だと思うのであるが、なぜか屋根の骨組みだけを残して改築ということにする。

税金の問題だ、と夫は言う。新築よりも改築の方が税金が安いからだそうだが、それよりもたぶん、リフォーム会社がスポンサーになっていることの方が大きいと思う。

これ以外にも、いろいろツッコミも入れられるところが、この番組のいいところだ。

「こんな組み立て式のベッド、すっごく使いづらいと思うよ」

「家財道具みーんなとっぱらって、こんなフローリングにしたら、そりゃあキレイに見えるよな」

私は断言したいことがある。

「狭くてゴチャゴチャしたうちって、本当はすごく使いやすくて快適なんだよ」

年寄りのうちがそうだ。ビフォーの方を見ると、手が届く範囲で引き出しがあり、テレビがあり、食卓がある。まるで宇宙船のように、コンパクトにいろんなものが詰まっているのだ。

アフターのすっきりと整理されたうちは確かに美しいが、モノが溢れる家で暮らした人間というのはベッドや階段の下の収納なんか決して使わない、すぐにモノはフローリングの床に溢れることであろう。

こんな感想を持つのも、たぶん私がだらしなくて、整理整頓が全く出来ない性格だからだ。我ながら情けなくなるほどだ。

夫にはいつも怒鳴られる。

「キミ、ちょっと異常だとは思わないのか」

たとえば洗面台の上を見ろと夫は言う。

「どうして化粧品がこんなにたくさん並んでるんだ。引き出しの中に仕舞えばいいだろう」

確かに化粧水、乳液の瓶が、化粧台の面積のほとんどを占領している。夫にしてみれば、どうしてこんなに大量の瓶が必要なのだと怒るわけだ。

けれどもこれは女の顔というものを全くわかっていない言い草だ。化粧水でも、しっとりしたもの、さらっとしたもの、その日によって使いわける。美容液にいたっては、疲れている日、そうでない日によって、あるいは美白を狙っているのか、弛《たる》みを防ぎたいかで、その日塗るものが違うのだ。アイシャドウも口紅も一色だけでいいってことはない。とにかくたくさんのものが必要なのである。

「ネコのトイレから、ウンチをすぐ取れ」

「読み終えた新聞をテーブルの上に置くな」

などごちゃごちゃ言った後、夫は念を押すように言う。

「この散らかりよう、異常だと思わないか」

こういうお叱りはたいてい土日に受ける。うちの場合、月曜から金曜までは家事をしてくれる人が来てくれるのだが、週末は休みになるのだ。彼女にしても、捨てていいものと、捨ててはいけないものとの区別がつかないので、テーブルの上にあるものはひとまとめに積んでおいてくれている。土日は私がそれを崩していく日だ。そして台所も私が使うため、悲惨なことになっていく。すぐにビフォーの状態になるのだ。

あんまり異常だ、異常だ、と夫が言うので、この頃はやたら「お宅拝見」をしている私だ。

出来る限りの機会をとらえて、

「おたくんち、遊びに行ってもいい？」

とお願いするのだ。その結果、夫の言ったことがかなり正しいことがわかった。
①よその家では、テーブルの上に何も置かれていない。
②よその家では、棚の上にあるのが写真立てだけだ。
③よその家では、靴箱から靴がはみ出していない。
④よその家では、クローゼットがちゃんと閉まっている。
⑤よその家では、玄関のコート掛けに、クリーニング屋さんから戻ってきたビニール入りの服がかかっていない。
⑥よその家では、ネコのトイレが目に見えるところに置いてない。
⑦よその家では、テレビの上にリモコンが並んでいない。
⑧よその家では、ベランダに何もモノが置いてない。
⑨よその家では、リビングルームに洗たくもののラックが置いてない。
⑩もちろん、洗面台の上は花とタオルだけ。
こうしてことごとく、私の常識が覆《くつがえ》されていくので、びっくりしてしまった。特に棚の上に何も置かれていないことにショックを受けた。

うちだと整理していない写真、郵便物、パンフレットの類《たぐい》が山積みになっている。ああいうものをもし引き出しに仕舞ったとしたら、私はことごとくその存在を忘れてしまうはずで、それが怖くて出来ないのだ。

そして「お宅訪問」しているうちに私は知った。世の中にいかにお金持ちが多いかをだ。もちろん、

「ぜひ遊びに来てください」

と言ってくれるからには、余裕があるおうちばかりだ。

「でもボロ屋ですよ。ひどいですよ」

と一応は言うが、足を踏み入れると、ヒイーッということが多い。

さてこの原稿も人さまのおうちで書いている。初めて来たうちなのに、

「すいません、机とファックス貸してください」

と図々しくお願いしたのである。広いテーブルの上には花が飾ってあるだけ。醬油差しやティッシュペーパー、菓子箱をどかさないと原稿を書けないわが家のテーブルとは、なんという違いであろうか。

私は聞きたい。人はどこかへしまったものを、どうして記憶出来るのだろうか。見もしないで、どうしてそこにあるのがわかるのかと、〝置きっぱなし人間〟は考える。

フジエモン

桜来て、フジもホリエも飽きにけり。

何回か前、ホリエモンについて書いた。その中で、

「ホリエモンというのはリトマス紙かもしれない」

と書いたところ、多くの酸性の方から声をかけられた。

「ハヤシさん、僕なんかマッカッカに変化するからね」

「僕も酸性、酸性。全く世の中間違えてるよ」

しかしここに来て、うちの超酸性党、ホリエモン大嫌いの夫が変わった。

「世の中の六割がこいつを支持して、僕と同じ団塊の世代の多くも、こいつをいいっていうんなら、僕は少し考え方を変えなきゃな」

などと気弱なことを言い始めた。

「もう世の中はそうなってるんだよな。僕みたいにエンジニアで、こつこつ会社に勤める、なんていう生き方は時代遅れなんだ」

最近小説の取材で、ＩＴ関係の人に会う。すると何ていおうか、今までの人生観といおうか、貨幣価値がひっくり返りそうになる。

「あーあ、原稿一枚書いてナンボ、本一冊売って何十円っていう仕事、本当に割に合わないよなあ」

世の中からみれば、すごくいいめに遭っているような私でさえこう思うのだから、ふつうの会社員や自営業の人たちが、一種の諦念を抱いたとしても無理はない。そしてその諦念が、ホリエモンへの応援となっていくのではあるまいか。

が、私は仕事柄、大金持ちや企業のトップの方にお会いするけれども、一度たりともサラリーマンのうちの夫を軽んじたり、馬鹿にしたことはない（ホントです）。夫のようなきちんとした勤め人こそが、日本をずうっと支えてきたという思いは強い。讃えたいと思う。言ってみればわが家版「プロジェクトＸ」を実行している。

が、そういう気持ちも持ちながら、やはり大企業のトップや、カリスマ創業者にお会いすると「なるほどなぁ」と思う。うちの夫みたいなふつうのサラリーマンは日本を支えているわけであるが、こういう方々は日本を引っ張っている。舵取《かじと》りにふさわしい能力、あるいは強い個性をお持ちである。

最近こういう舵取りの方々から、脱落者が何人か出た。するとマスコミの扱いが手のひらを返したようになるので、私はかなり憤然《ふんぜん》としている。いってみれば「強いもの叩き」。ものすごく強大な力を持っていたと思われたものが落ちめになった時の、意地の悪さの凄《すさ》まじさ。

堤義明さんという方にお会いしたことはないけれども、経営者としてはすごい方なのだろうと思って眺めていた。コクドの本社は、以前住んでいた原宿のマンションと、つい目と鼻の先。

「あそこの女子社員って、社長にお茶を出す時、床にひざまずいて出すらしいよ」

というまことしやかな話を聞いていたが、それもワンマン経営者としてのあの方にふさわしいなぁと面白く思っていた。

それがここへきて異常とも思われる堤バッシング。このあいだ週刊誌の見出しに「愛人お手当て六千万！」という文字が躍っていたが、中身を読んでみたら何のことはない。十年間トータルでの金額だ。ということは年収六百万、うーん、四十代のベテランＯＬでこのくらい貰う人は少なくない。

このあいだは元スケーターの女性が「昔、犯されそうになった」って言ってたが、あれも嫌な感じ。人が落ちめの時に「待ってました」とばかり言いたてるのはどうでしょうか。それどころか、堤氏と仲がよかった有名人の名を挙げ、まるでレッドパージの様相を帯びてきた。

そりゃ堤氏は経営者として罪を犯したかもしれないが、殺人や盗みをしたわけでもない。それに、いいですか、このあいだまで日本有数のホテルを持ち、オリンピックの日本の名誉会長をしていた人ですよ。多くの芸能人、スポーツマンと親交があってもあたり前じゃないか。それをなんで親しくしていた有名人たちまであげつらうのか。最初から怪しげなマルチ商法の社長とつき合ってたわけではない、有名スポーツマンがＪＯＣの名誉会長と親交があってもごく自然なことではなかろうか？

またホリエモンとのからみで、フジテレビが次第に「旧弊頑迷《がんめい》」なイメージを持たされてきているのも納得出来ない。いつのまにか「若者新勢力」vs.「ジジイ旧勢力」との戦いにされているではないか。ある若者向けの雑誌は、「ホリエモンを総理大臣に」とまでヨイショしているが、フジの恩を忘れたかといいたい。

八〇年代から独自の文化をつくり始めたフジテレビ。今の中年から下は、みんなフジテレビが大好きだったはずではないか。

明るくて新しもの好きで、ちょっといいかげんなところがあって、エンターテイメントに徹してくれたフジテレビ。

バブルの頃は、ここのプロデューサーかディレクター、誰かとお友だちっていうのがステータスだったフジテレビ。

みーんなフジテレビのトレンディドラマで恋愛を教わった。

今でもみーんな男の人は、フジテレビの女子アナと一回でもいいからお食事したいと思っている。

私たち中年以降の脳ミソの中に、フジというアミノ酸はしっかり入っている。

別に昔キャンペーンガールやったり（本当です！）、今、番組審議会の委員やってるから言うわけじゃないが、今のフジいじめというのは本当にイヤ。あのホリエモンという怪物も、フジという栄養をとって大きくなったはず。それなのにみーんなフジのことを「いい気味」と思ってる。屈折した「強いもん叩き」。あんなにお世話になってたのにこれでいいのか。最近、弱アルカリ性を保ってはいるものの、マスコミに対してはマッカッカに怒っている私なのである。

男と女の間には

プチアルツの温泉

朝のNHKドラマで、大分由布院《ゆふいん》が舞台になるという記事を読んだ。

「こりゃ大変だ」

そうでなくても、あまりにも人気が高まり、観光客が押し寄せているのだ。これでドラマの舞台になったら、どんな騒ぎになるかわからない。

「今のうちに行っておかなきゃ」

一月に予約の電話を入れたところ、三月の平日なら部屋を取れるということで、家族旅行を計画した。が、例によって夫の、

「僕が平日に行けるわけないだろ」

というひとことで、夫の替わりに急きょ近くに住む親せきの女の子に声をかけた。そんな折、姪《めい》から高校合格のニュースが。元日も塾で十一時間勉強、という頑張りのおか

げで、第一志望の難関校に受かったという。

「えらい、伯母ちゃんが温泉に連れてってたる。それも由布院の高級旅館やで」

姪は兵庫県に住んでいるので、つい私も関西弁になるのである。

「もう高校生なら、ひとりで伊丹空港から大分空港まで来られるやろ。そこで伯母ちゃんと待ち合わせしようやないか」

「えー、うち、そんなんできへん」

「しょうないなあ。よっしゃ、お母ちゃんも連れてってたるわ。二人で来《き》い」

弟の嫁からいそいそと電話がかかってきた。

「マリコさん、本当に私もいいんですか。すいませんねえ……」

そんなわけで娘を含めて五人、女だけの楽しい温泉旅行である。

行ってみて驚いた。今からかなりの人出である。平日だというのに観光客がぞろぞろ歩いている。「占いの店」「猫屋敷」、ハーブ店にキティちゃんグッズ、クレープに人力車にソフトクリーム……。

「なんか清里みたい！」

などと姪に言われてすごく口惜しい。

「私が初めて来た十七年前はこんなんじゃなかったのよ、田んぼが続く、すごく静かなところだったのよ」

なんて言ってるそばから、走ってくる乗用車にクラクションを鳴らされる。さっきからひっきりなしに車が行くのだ。こんな狭いところに観光バスは何台も来るし、全くなあ、センスのいい人たちがつくった場所に、すぐにセンスの悪い人たちがやってきて勝手なものをつくり始める。日本の観光地の理想形をつくり上げたはずなのに、維持するのは何とむずかしいことであろうか。

とはいうものの「玉の湯」や「亀の井別荘」の敷地とそのまわりは、昔と全く変わらない雑木林だ。まだ雪をいただく由布岳《ゆふだけ》が、すぐそこに迫っている。「玉の湯」の内風呂からは、紅梅、木蓮、レンギョウの春の花々が見え、その枝に野鳥が止まって鳴いている。それをぼーっと眺める私。変われば変わったものである。実はこの私、温泉は大好きなのであるが、せっかちな性格ゆえ、じぃーっと湯に浸っていることが出来ない。文庫本を持ち込んで、長湯をしていたのであるが、ここのところ、じっとして外の風景を眺めることが出来るようになった。トシをとるというのは、なかなかいいことである。

トシといえば最近、私はある恐怖にとらわれるようになった。

「もしかすると、プチアルツハイマーというのは、私のことではなかろうか」

おとといもある出版社から電話がかかってきた。

「役員室のフロアのトイレに、化粧ポーチがありましたが、ハヤシさんのじゃないですか」

その出版社の会議室を借り、次の約束の時間まで原稿を書いていたのであるが、帰り際お手洗いを借りた。化粧を直そうとポーチを探したのだが、バッグに見当たらない。家に忘れてきたのだと思いきや、何とその時点でもう化粧台の上に置いていたのである。そしてそのことにも気づかない。

それだけではない。このあいだはハンドバッグを、トイレの個室の壁にかけたまま、すっかり忘れてしまった。お店の人が寄ってきて、

「ハヤシさん、これをお忘れです」

とこっそり渡してくれたのである。高級フレンチレストランだったからよかったものの、そうでなかったら持ち去られていただろう。

つい先日は山手線に乗っていたら、座席に座っていたおばさんが、私に手招きする。何だろうと思って近寄ったら、

「セーターからシャツが出てるわよ」

ババシャツが、かなり顔をのぞかせていたのである。

十年前なら恥ずかしさのあまり、電車から降りてしまったところであるが、この頃の私は居直ってしまう。

「おばさんだから仕方ないじゃん」

年をとるとどんどん面《つら》の皮が厚くなるというのは本当らしく、こういう失敗も昔ほど

気にならない。

が、一方でこの頃、新たな恐怖が湧いてきたのである。

「といっても、この忘れ方は異常ではなかろうか……」

人の名前と顔がますます憶えられなくなった。仕事部屋に立ち、思いをめぐらす。

「はて、私は何を取りにこの部屋にやってきたのであろうか……」

秘書のハタケヤマと、言った、言わないの喧嘩はしょっちゅうだ。しかし彼女は最近こんな言葉を漏らした。

「ハヤシさんって、ゴーストライターがいるんじゃないですか……」

朝から晩までスケジュールがびっしりのうえに週に何回かは遊んでる。それなのに朝来るとちゃんと原稿がファックスで送信済みだ。彼女でさえ不思議に思うらしい。

どうやら年とった脳ミソは仕事で酷使された結果、おかしな動きを見せるようになったようだ。昨日ハンドバッグを忘れたくせに、二十年以上前のことをくっきりと思い出したりするのである。これはわりと小説家向きの脳ミソかもしれない。

いずれにしても、少し温泉でふやかしてきて活性化を促したいものである。あ、えーと、今夜の食事時間は何時と指定したんだっけ……。

ワインの会

仲よしの柴門ふみさんと二人、歌舞伎座へ行き、勘三郎襲名披露の舞台を見る。お芝居がはねた後は、麻布十番の「川上庵」で遅い食事。イカとマグロのおつくり、玉子焼きにじゃこサラダを食べながら、ビールと日本酒を飲む。そして柴門さんが連載している人気漫画の結末を誰よりも早く聞き出し、

「そうこなくっちゃ！」

と叫ぶ。最後は盛りソバでしめくくり、きっちり割りカン六千二百円余を払い、外に出る。春の夜、月はぼやけて遠い。あかりの消えた裏道をほろ酔い加減で歩きつつ、私はつぶやく。

「ああ、極楽、極楽」

この何年か、私はほとんどお酒を飲まなかった。理由は簡単で、体重を気にしてのこ

とである。お酒は飲まなきゃ飲まないでどうということもない。乾杯の時だけビールにちょっと口をつけ、後はウーロン茶にしてもらう。うんといい男と二人きりで食事をする時か、うんといいお酒をご馳走になる時にしか飲まないと決め、それをはっきりと口にしてきた。

夫はよく言ったものである。

「みんなで楽しくワイワイ飲んでる時に、ひとりだけ飲まないでシラッとしてる人間がいると、本当にイヤな感じ」

そうでなくても、女の物書きなどというものは、傍にいられると気ぶっせいなものらしい。私は別にそんなつもりはないのであるが、じいーっと観察されているような気分になるらしい。

呑んべえの夫は、ちょっとした食事をしている時も、アルコールを欠かさない。ラーメン屋にケの生えたようなところへ行ってもビールをまず頼み、その後は紹興酒となる。ひとりでもこうなのだから、飲む友人と一緒の時はすごい。だらしなく、ひたすら飲み続ける。すぐにろれつがまわらなくなるのであるが、酔っぱらい同士ではちゃんと通じているらしい。その傍で私はどうしているかというと、やはりシラけているかもしれない。

「明日早いんだから、もういいかげんで切り上げればいいのにさ」

「もう、うちの夫ったら人にどんどん酌《つ》いでしつこい……。お互い手酌にするべきよ」

つまり酔っぱらいのテンションに全くついていけなかったわけだ。

ところが最近、やたらお酒を飲むようになった。リバウンドがどうしようもないところまでいき、体重計にのらなくなったことが大きいが、きっかけは精神科医の和田秀樹先生のひとことだ。

「ハヤシさん、僕と〝ワインの会〟をやりませんか」

山梨は〝無尽《むじん》〟というのが盛んだ。十人前後で飲み食いする会をつくる。この時飲食代は割りカンにするが、別に一万円なり二万円なりを持参する。十人なら十万円ぐらいになり、この時お金を必要な人がそれなりの額を借りていく。他の地方では「頼母子《たのもし》講《こう》」といわれ、銀行の原型とされるシステムだ。

山梨ではみんなこの無尽が大好きで、中学や高校の同級生でつくる無尽、近所の人たちでつくる無尽と、働き盛りの男性なら五つ、六つ入っているのがふつうだ。世の中が、豊かになった最近では、お金を借りる人もなくなり、みんなで行く旅行費用を積み立てるケースが多いそうである。

「ワインの会」というのも、現代の〝無尽〟に似ているかもしれない。お金の替わりに「ワインの記憶」がプールされていく。私たちのまわりで、この「ワインの会」は大流行だ。聞いたところによると、財界や政界でも幾つものサークルがあるという。お金持ちはお金をかけ、ない人はそれなりにやっていくのも無尽と同じ。私が一緒にワインを飲むグループは、四十代のビジネスマンが中心で、一人一本、これぞと思うワインを持参、そして飲食費はきっちりその場で割りカン、美女の同伴大歓迎を原則としていた。二、三ケ月に一度は開催していたのであるが、リーダー格の人が地方にいることが多くなったため、ここのところ間が空いている。

「それとは別に僕たちもワイン会をしましょうよ。僕はこの頃、ワインが生き甲斐のようになってるんです」

と和田先生は言い、さっそく学者さんらしく指導者も決めてきた。

「有名なワインプロデューサーの方が、僕たちの指南役《しなんやく》になってくれるそうです。後はハヤシさんがメンバーを集めてください」

ということで、二人の間でメールがとびかうようになった。

「当日はとっておきの一本を持っていきます。カリフォルニアですが、パーカーの格付けでオーパスワンよりずっと上になったものです。楽しみに」

「ハヤシさんがペトリュスを好きということなので、僕の友人が八二年と八六年を持ってくるそうです」

と夢のようなメールが毎日綴《つづ》られてくるのである。何年か前、私は別の「ワインの会」から家に帰ったとたん、ゲーゲー吐いたことがある。ふだんアルコールに慣れていない体が、いっきにいいワインを飲んだため、拒否反応を起こしたのだ。

ま、そんなことはどうでもいいとして、このワインの会の一ヶ月前から、私は、

「体をワインに慣れさせるため」

という名目で、ほぼ一日おきに飲むようになった。せっかくいいワインが並べられるのだ。グラスに一滴も残さず飲みたい。そんなわけで、ちょっと座ればビール、そしてワインか日本酒を飲むのが習慣となった。まさかこの年でアル中になることもあるまいと、どんどん酒量が増えていく。もともとお酒は好きだったので、あっという間に元に戻った。そして私は、

「お酒を飲まない食事なんて、まわりの人にも失礼だ」

と思うぐらいになっている。さておといワインの会は終わった。その時次の日にちは五月と決められた。こうしている間にも、最初の「ワインの会」からお知らせが。久々の会が四月の二十日となった。お酒に「慣れる」日々はずっと続く。

バースデー

このトシになってくると、誕生日はめでたくも嬉しくもない。が、世間の方々はわりと憶えていてくださる。四月一日という、非常にわかりやすい日だからだ。

ある方とばったり会った。

「ハヤシさん、お誕生日おめでとうございます」

「どうして、私の誕生日をご存知なんですか」

「今日の新聞に出てましたよ」

えー、まさか、やんごとなき方々でもない限り、誕生日が新聞に出るはずはない。

「スポーツ紙読んでたら、『今日生まれた有名人』っていうコラムで、ハヤシさんの名前がありました」

なんだ、そういうことか。しかしそうなると、私の年齢も出たということね。まぁ、仕方ない。

以前書いたと思うが、おととし頃、私は自分の「出生の秘密」を知った。それは私は四月一日生まれでなく、三月二十九日か、もしくは三十日に生まれたということだ。

「正確に言ってよ。私はいつ生まれたのよ。いったいいつ？」

と私は気色《けしき》ばんで尋ねたのであるが、母親などきょとんとして、

「そんな昔のこと、どうだっていいじゃないの」

と繰り返すばかりだ。

母は私と違って、占いにはまるで興味がないらしい。けれども長い間にわたって、四月一日生まれということで、さまざまな占いをしてきた私はどうなる？　何とか宮《きゅう》を出すために複雑な計算をしたこともある。あの努力はいったいどうなるんだ。

昨年は、いい男ばっかり二十人集まって、サプライズパーティーを開いてくれたが、今年はこれというイベントは何もなかった。

午後から歌舞伎町に出かける。別にホストクラブに行ったわけではない。コマ劇場での「石川さゆりコンサート」を見に行く。先日、私がホステスをつとめる週刊誌の対談に出ていただいたところ、ぜひ、とお招きいただいたのだ。空いている日を見たら、四月一日の午後しかない。

「ハヤシさん、お誕生日ですから、おうちでパーティーとかしないんですか」

とハタケヤマ。

「いいの、いいの、主婦の誕生日なんて、自分で企画しない限り、家族の誰がやってくれるわけもなし。ふつうに過ごすわ」

ところが石川さんは、私の誕生日だということをご存知だったらしい。ステージから突然、

「今日は客席に、ハヤシマリコさんがいらしてるんです。今日がお誕生日ですって。みなさん、拍手でお祝いしてあげましょう」

と言ってくださったのである。

いろんな土地で迎えた誕生日もあったが、コマ劇場で拍手を受ける誕生日は、もちろん初めてで最後であろう。

ファンの方々、石川さんの歌を聞きにきたのに、私にまで拍手をしてもらって、本当にすいませんねぇ。しかし一生心に残る誕生日になりました。

ところで、昨日は若い友たちが祝ってくれるバースデーパーティーがあった。

四年前になるのだが、ある本の刊行記念として、ある出版社が、

「ハヤシマリコさんと過ごすティーパーティー」

というのを企画した。作文（まぁ、私に対するファンレター）を審査して、十五人を

選出したのである。ティーパーティーは和気あいあいと終わり、来てくださった人たちは、住所や電話番号を交換したりしていて、その後も親しいつき合いをしていたらしい。

中心メンバーは、放送作家で、いつもはスタバでバイトをしているA子さんである。これに銀行員のB子さん、オーストリア航空のスチュワーデスのC子さんなどがコアメンバー五人で、昨年はランチに素敵なパーティーを開いてくれたのだ。

「ハヤシさん、今年は趣向を変えてますので楽しみにしてください」

ということで、青山の待ち合わせ場所から、広尾のはずれに連れていかれた。こんなところにレストランがあったかしら、と不思議に思ったところ、一行が向かったのはこじゃれたマンションだ。

「実は今日、レストランではなく、D子さんのマンションにしました」

D子さんというのは、長年私の本を読んでくれている三十代の女性で、サイン会や講演会に必ず来てくれる。実家が九州で、よく特産物も送ってくださった。どんな作家もそうだと思うが、あまりにも熱烈なファンとは距離を置いてしまうものだ。親しくなって失望されるのもイヤだし、その気持ちに応《こた》えるのも億劫《おっくう》になってくる。

ある時、六本木ヒルズの中で、小さな講演会を開いた。客席にはやはりD子さんの姿が。そしてA子さんともうひとりも来ていたので、終わった後、みんなをお鮨屋さんに誘った。この時A子さんをD子さんに紹介したところ、二人はすっかり親しい友人になったらしい。

今回のパーティーも、A子さんがD子さんに相談し、いろいろ手づくりの料理を頼んだのだ。カツオのサラダ、タタキゴボウ、ぬた、けんちん汁、鹿児島名物の蒸しパンと、私の体重を気遣ってのおいしいヘルシーな料理。

そしてみんなはシャンパンを飲み、好きなタレントの噂話や、結婚しない三十代の女性の悲哀を話し始めた。話がはずみ、かなり過激になってとても楽しそう。別に私がいなくてもいい感じ。私は所在なく、近くにあった雑誌をめくり始めた。そうよね、私の存在も若い人たちを結びつけるパーツに過ぎないのだ。インターネットの呼びかけのダシみたいなもんだけど、それでもやっぱり嬉しいもんです。「熱烈なファンの集い」なんて思ってた自分がちょっと恥ずかしいけど。

春愁

私はかねがね「晴れ女」と呼ばれていたが、こんなにすごいとは自分でも思ってもみなかった。

昨日までしとしと降っていた雨がぴたりとやみ、「桃見の会」の朝は素晴らしい快晴だったのである。

担当編集者の人たちとバスで行く桃の花見は、いつも四月の十日前後となっている。今年は十日が日曜だったので、十一日の月曜ということになった。けれども私に用事が出来、急きょ十四日に変えてもらった。この日しか私の空いている時がなかったのだ。

「ハヤシさん、どうしましょう。もう桃の花が散ってハッパになっていますよ」

ハタケヤマが心配する。

「仕方ないよ、みんな毎年来てる人たちだから、ピンクの桃畑は心の中にインプットされてるよ」

仲のいい編集者も言う。

「ハヤシさん、私たち桃の花も楽しみだけど、ハヤシさんのイトコさんがつくってくれるお料理の方がもっと楽しみだから」

というわけで十四日に決定したのであるが、今年は寒い日が続き、なかなかつぼみがふくらまない。それでも十日には、盆地の下の方の花は開いていたのであるが、次の日十一日は冷たい雨が降った。十二日も十三日も雨の日だった。しかし、見よ、変更した今日十四日は、見事な日本晴れ。今まで我慢に我慢を重ねていたつぼみたちは、いっせいに花開いたのである。盆地は濃いピンク色のカーペットが拡げられた。バスが一宮御《いちのみや》坂《みさか》インターを降りると、あたりはピンク、ピンク……、「おお」という声があちこちで漏れるほどの美しさである。

今年の出席者は四十三人、ふだん編集者の人とめったに会えない私にとって、年に一度の交流の日だ。バスの中で自己紹介が始まる。編集者は個性的で面白い人が多いが、このバスの中は特別だ。

私の担当をしてくれる人はなぜか、「出版界の問題児」と呼ばれる人が多い。また担当でなくても、そういう人が寄ってくる。今年初参加のA子さんは、どうも酒乱という噂が高く、バスの中でもぐいぐい缶ビールを飲んでいる。その隣りにいるのは、彼女の親友の「新潮45」の編集長中瀬ゆかりさんだ。彼女はいろんな作家がよくエッセイで書いているので、つい私も実名で書く。ぽっちゃりと丸顔でおさげ髪がかわいい。ロシアのマトリョーシュカ人形そっくりだ。

バスの後部座席は、この二人を中心にいろんな人が入り乱れて、大変ににぎやかだ。みんな会社が違うのにとても仲がいい。

バス前部に、デブで童顔の中年男が座っている。うちの弟が特別参加しているのだ。今年弟は、関西から単身赴任してきた。「桃見の会」のことを告げたところ、

「僕も行きたいなぁ」

とヨダレを流さんばかりだ。なんでもこの三十年間、桃の季節に山梨に帰ったことが一度もないという。高校を卒業するやいなや、よその土地の大学へ入り、そのまま関西へと行った。テレビのニュースで、

「山梨の桃が満開です」

というのを見るたび、懐かしくてたまらなかったという。

「でも会社どうするのよ」

「何とかするよ。まだそんなに忙しくないし」

ということでやってきたのである。

もともと人懐《ひとなつ》っこい男であるから、すぐにみんなに慣れた。若い美人編集者の隣りに

ちゃっかり座って、みんなと名刺交換している。すっかり図々しいおじさんになっていることに驚いた。私はまだ彼の学生服姿を憶えているのであるが、歳月はすごい勢いで流れているのだ。

それでも弟はしみじみと言う。

「三十年ぶりに桃を見たら涙が出てきたよ。高校の時に、桃畑の中を自転車で走ったなあと思って」

ふーん、こんな男でも感傷にひたることがあるのね。

感傷といえばCさんが今年も出席し、乾杯の音頭をとってくださった。デビュー以来、私が何かとお世話になっているCさんは、某出版社の取締役で、数々のベストセラーをつくってきた方だ。というと堅苦しい人を想像するかもしれないが、ご本人はかなりいいかげんといおうか洒脱《しゃだつ》な人柄だ。この方が昨年の六月、会議中に突然倒れ、救急車が呼ばれた。ずっと意識が戻らなかったというほど深刻な事態だったのだ。しかし奇跡は起こり、意識を失ってから八日めにCさんは突然目を開く。

「今年もまた、美しい桃の花を見られると思うと感慨無量です……」

としんみりした声で話したかと思うと、

「しかしこいつらが、私の感傷をいっきに吹きとばしてしまいました」

と、隣りに座っている中瀬さんとA子さんを指さしたのでみんな大笑い。

この桃見の前に、今年私は珍しくお花見をした。最近桜の花の美しさがひときわ目にしみる。若い頃はこんなにも心にしみ入ってきたことはなかった。花の盛りの時はその生命力を思い、散っていく時はわが身と重ねてしまい、いろいろ考える。人間の花への思いは、年ごとに変化しているのだ。

そして桃の花の下で昼食会。イトコたちがつくってくれたモツの煮込みに野菜の煮物、バーベキューにおにぎり、最後はホウトウを食べる。

中瀬さんとA子さんたちは、早くも暴れ始めた。「花より団子」の人たちだ。見ている私たちもゲラゲラ笑う。全く昨年と同じようだが、なんといつもお借りしている桃畑の隣りに、どーんと大きな家が建ったではないか。

永遠かと思われた風景も刻一刻と変化しているのだ。ちょっと私も感傷にひたる。

弘前の手紙

私ら売文業者には、受難の時が年に三回ある。

「年末進行」、「夏休み進行」、「ゴールデンウィーク進行」というやつだ。考えてみると、このゴールデンウィーク進行というのが、いちばん長くつらいかもしれない。

今年は二日と六日に休みをとると、連続十日間、大型連休となる。

「そういうわけで、私もずうっと休みをとらせていただきます」

うちで唯一の従業員であるハタケヤマが言った。

「えー、六日の金曜日も休むのオ。困っちゃうなあ」

「だってハヤシさん、私は毎年、こんな風に休ませていただいてますよ」

そうだったかしら。とにかくゴールデンウィークの休みは長い。各出版社がアコギなことを言い出して、本当に私はつらい思いをしている。

週刊誌の〆切りが早くなるのはまだわかる。私が解せないのは、月刊誌が二度にわたって、「ゴールデンウィーク進行」になることである。

月の四日〆切りの連載があるとしよう。ふつうだったら、四月四日の〆切りになるはずであるが、編集者は三月二十五日までに原稿をくれという。

「ねえ、ゴールデンウィーク進行が、どうして三月から始まるんですか」

「印刷所の都合で、すべてのことが二週間早くなるんです。月刊誌は仕方ないんです」

わかったわと、私は快く（そうでもないが）二十枚を早く渡した。ところがどうであろう、四月もやはり、二週間〆切りが早まるという。

「ゴールデンウィーク進行ですから」

何やら詐欺にあったような気分だ。

いや、いや、こんなことをいってはいけない。こんな風にお仕事がいっぱいあるだけでも有難いことだ。そもそも、この私が作家としてちゃんと食べていける、などということが奇跡に近いのではないか、と、急に殊勝な心持ちになるのには理由がある。

つい先日、久しぶりに弘前に行った。あるお菓子メーカーから講演を頼まれたのである。最近私は忙しくて、めったに講演をしないのであるが、ここのお仕事はふたつ返事で引き受けた。なぜなら、このお菓子メーカーに、義理も縁もあるからである。

二十七歳の頃、フリーランスのコピーライターになったばかりの私に、いっぱいお仕事をくれた会社なのだ。青森の人なら誰でも知っているこのお菓子屋さんは、リンゴを使ったパイで大当りした。このパイを売り出す時に、会社はわざわざ東京のデザイナーに広告を依頼した。このデザイナーが、コピーライターに私を指名してくれたというわけだ。

弘前には懐かしい思い出がいっぱいある。

あの頃、冬場は飛行機があてにならないというので、もっぱら寝台車を使った。ひとつの車輌に二人しかいないというのに、一角に寄せられ、おじさんの隣りのベッドに寝かされたこともある。青森駅に寝台車が到着した時、ものすごい吹雪《ふぶき》だった時もある。ちょうど「津軽海峡冬景色」が大ヒットしていた頃だ。ホームで雪をよけながら、

「北へ帰る人の群れは誰も無口でぇ〜」

と口ずさんでいると、本当につらく淋しい気分になった。

どうも自分はコピーライターの才能がないということに気づきはじめていた。「変わってるコ」ということで、まわりの人たちが何かと面白がり、仕事もくれたりしたがコピー自体を誉められたことはない。書くのも次第に苦痛になっていった。長いアルバイト生活を経て、やっと手に入れた仕事であったが、どうも私には向いていないらしいのだ。いっそ結婚でもしたいところであるが、相手もいない。うつうつとした日を過ごしていた私にとって、弘前に行くのはどんなに楽しかったことだろう。

仕事で知り合った地元のカメラマンと二人、弘前城の桜を見に行ったこともある。お酒も魚もおいしく、しっとりとした古い街であった。自分が何になるのかもわからず、何が出来るのかもわからず、やみくもに進む、という日々と、弘前に通っていた頃とはぴったり重なるのだ。

さて、講演会が終わった後、ひとりの女の子が楽屋に訪ねてきた。まだ高校生で作家志望だという。

「そう、頑張って何かの新人賞に応募するといいですよ」

と、結構親切に対応したつもり。彼女はこれをと言って、大きな紙袋をくれた。てっきりお菓子かヌイグルミだろうと思ったところ、中になんと原稿が入っている。ついていた手紙を読む。

「公演《ママ》に作家の人が来るというので、会いたいと思いましたが、私は林さんの本を一冊も読んでいないことに気づきました。それで図書館で本を一冊借りて読みました。まあまあ面白かったです。私も作家になって一発あてようと思ってますので、まずは原稿を読んでください」

この他にも誤字が幾つかあった。私はさっそく原稿を送り返すようハタケヤマに頼んだ。いつまでも手元に置いておくと、「私のを盗作した」といういいがかりをつけられる怖れがあるからだ。ついでに手紙を書く。

「作家になりたいということですが、その前に正しい日本語を勉強しましょう」が途中まで書いてやめた。私も人のことを言える義理ではないからだ。漢字はしょっちゅう間違える、ひどいものである。

作家というのは、司馬遼太郎さんのように（お会いしたことはないが）、みんなが人格者で学識豊かで、人生の師となるような人のわけではない。何年か前、山梨で講演していたら、ものすごく気味悪い男がやってきてでれでれと喋った。

「僕もいずれ芥川賞獲って、ハヤシさんの世界に入りますからね」

と宣言した。ケッと思ったが、こういう人がいい小説を書いても全く不思議はないのだ。

ものすごく不愉快なインタビューをしたフリーライターの人が、新人賞をとって再会することもある。やはり「一発あてる」と表現されても仕方ないかもしれない。

運命

大変な事故が起こったものだ（二〇〇五年四月二十五日、JR宝塚線塚口〜尼崎間で列車脱線転覆事故が発生したのである）。

朝、ちょうど家を出る時に、ワイドショーが事故発生を告げていたが、これほど大事故になるとは思ってもみなかった。

弟の家族は伊丹に住んでいるので、この春高校に入学したばかりの姪は、この線を使い、途中まで乗っているという。巻き込まれても不思議ではない。

時間が九時台だったので、中高生がいなかった替わり、大学生が犠牲になった。十九歳、二十歳という年齢を見ると、胸がふさがるような思いになる。「人生の春」という言葉がぴったりの人たちだ。十九歳で亡くなってしまうなんて、さぞかし無念だろう。親御さんの方も、やりきれない思いと口惜しさとで、今は頭が真白になっているに違いない。

こういう時、人はたやすく「運命だった」という言葉を使うが、残された人たちにとってはそれもたまらないことであろう。

つい最近、お母さんを交通事故で亡くした人がいるが、まだぼーっとしているそうだ。病気で死んだのなら、まだ心の準備が出来る。徐々にそっちの方に気持ちを持っていこうとする。が、ある日突然人がいなくなるというのは、それこそ、

「ぽかーんとしてしまう」

のだそうだ。そしてその後は自分への責めがくる。

「あの時、雨が降っているからと、どうして外出を止めなかったのか」

「せめて自分が車で送っていったら……」

と、〝ああすればよかった、こうすればよかった〟と涙にくれ、自分が許せなくなってしまうのだという。

そういえば彼女がこの話をしていた時にも、一緒にいた友人が言った。

「仕方がないわよ。運命だったんだから」

飛行機事故でご主人を亡くした人がいる。いつもより遅く仕事場を出て、車に同乗していた秘書は、今日は乗り遅れるだろうなあと思ったそうだ。

「ところが信号という信号が、主人のタクシーが近づくとみんな青になったそうです。

信じられないほど早く羽田に着いて、ギリギリで間に合ったっていうんです」

この時も一緒にいた人が、同じように慰めた。

「運命だったんですよ」

その時ちょっと冷たい言い方だなあ、と感じたのを憶えている。本人は夫の死にまつわる、負の不思議議について話したいだけなのだ。

「へえー、そんなことってあるんですねぇ」

と神妙に聞けばいい。それなのに、

「運命だったんですよ」

というのはなあ……。

ところでテレビを見ていてあることに気づいた。被害者の名前に「女性匿名」「男性匿名」という表現が目につくのだ。

「これってどういうことかしら。身元が不明っていうのならまだわかるけど、匿名っていうのは聞いたことがないわ」

傍でテレビを見ていた夫が答える。

「たぶん公表しないでくれっていうことなんだろう。知り合いや近所に騒がれたくないんだよ」

「そうだよね。名前を出す必要はないんだから」

なるほどなあと思う。大事故の被害者の場合、いやおうなしに名前がマスコミに載ると思っていた。ところが今は、プライバシー重視のため、遺族が被害者の名前の公表を拒否出来るようになったようだ。

見ていると救出の時も、乗客の顔はボカシが入るようになっている。そりゃあ、あたり前だろう。サリン事件の時も感じたことであるが、マスコミは事故の被害者を平気で撮る。血まみれになったり、泥まみれになった顔を見せたい人は誰もいないだろう。女性の場合、衣服の乱れも気にかかる。が、カメラは平気で、担架に乗せて運ばれる人まで写していたのだ。

今回は救急車から運ばれる人をめがけて、カメラマンが殺到していた。

「どいてー、どいて頂戴！」

と看護師さんに怒鳴られていたっけ。毛布でくるまれた担架を、しつこく追いかけて、いったいどうするつもりなんだろう。

胸をはだけられ、心臓マッサージを受けている人もいる。ああいうのを撮るのは本当に失礼だと思う。そもそもケガ人を必死で助けようという病院側の邪魔になるはずだ。

その日の報道番組を見ていたら、マスコミの視線を避けようと、現場に巨大なテントが張られていたが、カメラマンはその上から狙っているではないか。これはもう「報道の自由」を飛び越えている。

奈良で小学生の女の子が、誘拐されて殺された。それについてご両親がメッセージを発表しているが、今度のことですっかりマスコミ不信になったそうだ。

そのメッセージはいろいろもっともだと思えるものであったが、中の一行、

「うちの前は吸い殻を山のように捨てられました」

という一行が忘れられない。といっても、マスコミで「張り番」をしている人たちも、いろいろつらいことがあるだろう。スクープをモノにしなければと必死なのである。

それを差し引いても、大きな事件が起きると、マスコミの行儀の悪さが批判される。大きな事故が起こるたびにそれは指摘される。

「匿名さん」は、インターネットでヒントを得たのだろうか。今やあの世界は、みんな匿名で言いたい放題のことを言っている。被害者だけが損をみて、名前を出させられることもないのである。

そしてインタビューに応じた若者の遺族も、「匿名さん」の家族も、今はつらい日々を過ごしているだろう。

「運命ですから」という言葉は、実は絶望におしつぶされるな、という慰めの言葉だ。いつか「運命ですから」という言葉を、力強く本当に人を癒すようにやさしく言えたら、それはすごい真の力だと思う。

男と女の間には

昨夜、仕事がらみの食事を終え、タクシーで帰る時のこと。

親しい男性編集長（四十三歳）が、ぽつりと言った。

「あの、他の者の口から耳に入るのがイヤなので、先に言います」

こういう時、たいていは人事異動である。私のために一生懸命やってくださり、連載からベストセラーを出してくださった彼も、どこかへ行ってしまうのね、そんなの困るわ……。

しかし衝撃的な言葉があった。

「先月、僕、結婚しましたので」

「えー、ウソ！」

と大声を出し、そして、私は尋ねた。

「それで相手は男の人？」

つまり、彼のことをずうっとそういう性癖の人だと思っていたのである。

「いえ、相手は男だろうとか、擬装結婚だろうとみなに言われましたけど、相手は同僚です。ハヤシさんも知ってるかもしれません」

名前を聞いて驚いたの何のって。以前私を担当してくれていた編集者ではないか。当時、大学を出たての、ものすごく可愛い女性であった。彼女と十年以上つき合って、このたび入籍の運びとなったという。

あー、驚いた。私は何年か前に、「男と女とのことは、何があっても不思議はない」というタイトルの本を出したのであるが、やはりこういうことがあると驚いてしまう。全く女と男の世界は、なんと面白く出来ているのだろうと感心せざるを得ない。みんな恋をする時は、私たちに見せるのとはまるで違う顔を持ち、好みの異性に迫っているのであろう。

大昔、若い頃、よくWデイトをした。私の友人に親しい男友だちを紹介したところ、

「どうしてあんなのを！」

と次の日電話で怒られた。帰りのタクシーの中で、そりゃあ強引に失礼なことをしたというのだ。

「ひえー、あの人が」

私の前では紳士的な、というよりもかなり女性的なか弱いタイプに見えていたからであるが、こういう男性も女性によっては、別のパワーが出てくるものらしい。

まあこんなのは笑い話で済むが、困ってしまうのが仕事がからんできてしまう場合であろう。ある人に、ある女性のワルグチ、あるいはある女性にある人のワルグチを言ったところ、二人がデキていたというのはよくあるパターンである。「まさか」と思って気を許した結果が、こういうことになってしまうのだ。若い時、私などこれでどのくらい失敗したことであろう。後から「え、ハヤシさん知らなかったの？」と人から言われ、ヒェーッと青ざめたことが何度もある。

だからはっきりしてくれると、非常に気持ちがよい。これまた昔の話になるが（現在進行形でもいろいろネタがあるが、ちょっと書けない）仲よしのグループで旅行に行った。その時友人が、ものすごくハンサムな学者さんを連れてきたことがある。その夜なぜか酒場でママを相手に野球拳が始まり、その方がパンツ一枚になってしまった。あれほどハラハラドキドキしたことはないと、私は当時この連載エッセイに書いたことがある。

するとただちに、知り合いの女性文化人（詳しくは書けません）からファックスが届いた。

「ハヤシさんのエッセイ、すごく面白かったです。今○○先生は、海外で学会ですが、私が国際電話でハヤシさんの文を読んであげました。先生もすごく面白いと喜んでいました」

いくら鈍感な私とてピンとくる。これは、

「あの男はとっくに私のものなのよ。一応お知らせしときます」

という通達なのである。このくらいはっきりしてくれるととても清々《すがすが》しい。

「ハイ、わかりました。失礼しました。毛頭そういう気はありませんから」

と謝りたくなってしまう。

私が思うに、未だに写真週刊誌が隆盛なのは、世の中の人々が、

「男と女の間には、何があっても不思議ではない」

を実感したいからではあるまいか。

確かに他人の密事を知ろうというのは、卑《いや》しい行為であるが、こちらの想像を超える不思議な取り合わせを見て、

「へえー、こんなことが起こるんだ」

としみじみと思うのは、まあそう悪くない。

ところが最近の芸能界ニュースを見ていると、あたり前過ぎてあまり面白くないのだ。お笑いタレントさんはバラエティタレントと結婚するし、二枚目俳優は好感度ナンバーワンの美人女優と結婚する。「さもありなん」というカップルばかりだ。

この話をすると、

「だってハヤシさん、仕方ないでしょう。職場で知り合うには限りがあるんですから」

芸能界にはちゃんと棲《す》み分けが出来ていて、映画に出る俳優さんと、バラエティに出るタレントさんとが、同じ職場になることはめったにないらしい。ゲストで出演するならともかく、共演の機会はめったにないそうだ。

だが記者会見で二人が幸福そうに並んでいる姿をこの頃よく見るが、「ふうーん」という感じ。もっとインパクトがあるといおうか、こちらの意表を衝《つ》くようなカップルは出てこないものであろうか。ちょっと前の、才色兼備の女子アナの方と、いかにもモテなさそうなコメディアンのカップルなんてよかったのになあ……。

大昔、大学生の頃、バイト先のオバさんに、どういう男が好き、と尋ねられたことがある。ハンサムな人と答えたところ、「そういうもんかもしれないわねえ……」としきりに頷《うなず》かれた。今も時々、あのしみじみとした声が甦ることがある。分不相応なことを言ったり、したりすると世間からは冷ややかに扱われるらしい、と知った最初である。

紅白饅頭の秘密

今は午後の十一時、さっき帰宅した。

服を着替え、お茶を飲みながら、森進一さんからいただいた紅白饅頭《まんじゅう》をパクついているところ。

どうして私が、森進一さんから紅白饅頭をもらったか。今日は森さんが座長をしている「じゃがいもの会」のコンサートに参加したからである。

こう言うと、多くの人は呆《あき》れるだろう。

「ミーハーにもほどがある。渦中の人を見たくてのこのこ出かけたのか」

いくら私でもそこまではしない。

あれはもう、五ケ月前のことになる。私がホステスをしている週刊誌の対談に出ていただいたのだ。森さんにおめにかかるのは初めてであったが、とてもおだやかなやさしい方で、話はなごやかに進んだ。

その際、話が「じゃがいもの会」に及んだ時、

「今度のコンサート、ハヤシさんも出てくださいよ」

とおっしゃったのだ。

「あら、いいですよ。実は私、歌を習ってるんですよ」

などとへらへら答えていたが、まさか本当とは思わなかった。すぐに正式な出演依頼が来たのだ。

ウソーッと叫んだ私。有名なチャリティだしぜひ協力したいが、私とて恥というものを知っている。シロウトの余興に出るならともかく、一流の歌手の方々と一緒にどうして舞台に立てようか。

「歌は遠慮しますが、募金のおばさんになって、ロビィに立っています」

と申し上げた。

それからいろんなことがあった。あの芸能界きってのオシドリ夫婦といわれた森さん夫妻が離婚するなどとは、いったい誰が予想しただろうか。対談でおめにかかった時も、とても楽しそうにご家族の話をしていらしたのだ。そして離婚の心労もあってか、ご自身も急病で入院された。このニュースを聞いた時は、コンサートも中止かなあと思ったりした。

しかしそれは森さんに対して、本当に失礼な考え方であった。二十年も続けているチャリティコンサートを、自分の事情でキャンセルされるような方ではないのだ。

参加させていただいてわかったが、このコンサート、照明さんや大道具さん音響さんを入れると、スタッフが数十人ではきかないだろう。これだけの大所帯をまとめるだけでも大変なのに、そりゃあいろいろと気を遣ってくださる。帰る時に、関係者みんなに紅白のお饅頭をくださったのもそのひとつだ。

「継続は力なり」

というけれども、なみたいていの努力とエネルギーでは出来ないに違いない。今まで関係団体に寄付した総額が、四億六千万というからすごい話だ。

少しでもお役に立ちたいと心から思う。そう、箱を持ってロビィに立たなくては。しかし当日こう言われた。

「上演二十分前になったら、ステージの幕前でひとこと、ふたこと喋った後、箱を持ってまわってください」

これが運動能力のない中年にとって、かなりきつかった。広いＮＨＫホールの一階を左右前後に動くのだ。

「マリコさん、こっちよー」

手を振ってくださるところに走っていく。みんなお財布から百円、千円出してくださり、有難さからじーんとしてしまう。もう息切れしようと、倒れようと、走りまわるぞという意気込みで、いっきに二階に駆け上がった。ぜい、ぜい、はあはあ……。

「ハヤシさん、あちらにも」

一緒にいてくださる方が指さしてくれるのだが、そこへ走る体力がない。ここのところずっと腰痛があるうえに、無理な中腰でいるために、「アイタ」と声が出る。が、こんなことステージの上にいる人たちを思えばどうということもない。みなさん、歌ったり踊ったりしている。特に森さんは病み上がりだというのに、楽し気に踊りまで披露しているのだ。

最後にじっくりと二曲歌われたが、私は舞台の袖《そで》で聞くという贅沢を味わった。生で聴くと、本当に名歌手だとあらためて思う。声の素晴らしさもさることながら、すごいのは日本語の発音だ。この方が「冬」と舌にのせられると、それだけで冷たい風が吹きすさぶ日本の荒地が浮かび上がってくる。歌われているとおりの世界が見えてくる。新曲の「はな」を歌う時、涙ぐまれていたが、魂に響くような歌声であった。

そしてこの後は、全員が舞台に立ってフィナーレ。私もコーラスで「じゃがいもの歌」と「ふるさと」を大声で歌った。気分はもう紅白歌手だ。困ったもんである。

そしてコンサートの後は、記者会見が行なわれた。今年は例のこともあり、いつにも増して大変な数の取材陣だそうだ。

「募金のおばさんは、もうこれで失礼します」

帰ろうとする私を、

「ハヤシさんも一緒に出て」

と森さんがやさしく言ってくださる。そして私を前列のいちばん端に座らせ、ご自分はその後ろに立たれた。スチール撮りが終わると、ワイドショーのレポーターたちは、みんな森さんに集中する。遠くから棒につけたマイクがいっせいに差し出されるのだが、私はすまない気分になる。座高の高い私によってマイクがすべて遮《さえぎ》られてしまう。肝心の森さんに届かない。

「『じゃがいもの会』についてだけ質問にお答えします」

と釘をさされているから、レポーターの人たちはいろんな表現を使い、核心に迫ろうとする。かなり頭がいい。

「二十一年のコンサート、いつもとは勝手が違っていましたでしょう」

「会場の親子連れを見て、どうでしたか」

「このコンサートで知り合った人と、またつき合うようになったりして……」

その攻略の巧みさがおかしくてたまらなかった。本当にスターって大変だなぁと、饅頭を頬ばりながら思い出す私であった。

長い一日

そもそも、話は一杯のお茶を飲んだことから始まる。

お茶といってもただのお茶ではない。静岡の友だちから送ってもらった、極上の新茶である。いつも安い茎茶ばかりで、こんな細かい葉のお茶を飲んだことがない私は、分量がよくわからない。急須につい入れ過ぎてしまった。とても濃い新茶を寝しなに飲んだところ、全く眠れない。目がらんらんと冴《さ》えてきたのである。

トイレに行ったり、本を読んだりしても、眠気がやってこない。やっとうとうとしたのは、朝方である。

いつも六時に起きる私にとって、寝不足は本当にこたえる。ぼうっとしてしまって何も考えられない。

やっとのことで午前中の用事を終え、午後からは汐留《しおどめ》のある会社にうかがった。今、書いている小説の取材のために、ＩＴ関連の会社にお邪魔したのだ。勤めている方にいろいろお話を聞いたり、職場を案内していただいた。

が、パソコンもろくに使えない私にとって、お話はとてもむずかしい。あちらは私のレベルに合わせて、わかりやすく話してくださるのであるが、最新の設備があるオフィスも共に見せられると、私など圧倒されてしまって口もきけない。

「ＩＴ疲れってあるんだね……」

同行の編集者にささやいた。

「あまりにもすご過ぎて、進み過ぎててびっくりしどおし。疲れちゃったよ」

もう私たちって化石世代なのね。こういう若い人たちが日本を動かしているのねと、編集者と嘆き合う。

この取材が終わったのが午後二時。さあ、どうしようかなと私は考える。今日は午後の四時半から、歌舞伎座の夜の部を見ることになっているのだ。

いったん家に帰るには、中途半端な時間である。このまま歌舞伎座に行くことにして、どうやって時間をつぶすか。

もう決まっている。歌舞伎座の裏には、私が毎週連載をしている雑誌を持つ、有名出版社があるのだ。歌舞伎座まで三、四分の距離だろう。

歌舞伎座に行く前にこの会社の会議室を使わせていただくのが、ずっと以前から私の習慣である。もちろんそこの連載も書くが、ついでに他のも書き、図々しくファックスもお願いする。コーヒーをとってもらい、居眠りをしたりする。そのうち、知り合いの編集者が「元気ィ？」と顔を出し、お喋りをする。そして時計を見て、開演十分前になると、

「お邪魔しました」

と歌舞伎座に向かって歩けばよいのだ。

しかしこんなに疲れている日に限って、会議室が全部ふさがっているという。

「すいませんね、すぐどこか空けてもらいますから」

若い編集者は恐縮するが、すまないのはこっちの方だ。人の会社の会議室を喫茶店替わりに使う方が間違ってる。

「いいよ、いいよ。私、おたくのティールームで書かせてもらうから」

そして書き始めたのであるが、寝不足の体にはとてもきつい。あーあ、会議室だったら、居眠りも、ソファにごろり、も出来たのになぁ。

そこへ編集者と、彼の上司である女性編集長がやってきた。

「ハヤシさん、ものすごく疲れた顔してるわ。任せといて、私、すごくいいこと考えたから」

この会社には、ふだん使われていない保健室がある。ベッドと簡単なソファセットが

置いてあるそうだ。

「歌舞伎に行くまで、この保健室で休んでたらどうかしら。我ながらグッドアイデアだと思うわ」

使えるように総務から鍵をもらったという。それじゃと、ロビィに行く私。一階には、この会社の最新刊が並べてある。元に戻すなら読んで構わないとある。ここから二冊借りて保健室へ行く。

清潔なシーツが敷かれたベッドに横たわり、面白い料理の本を読む。ああ、極楽、極楽。

こうして歌舞伎座に行く前の時間、横になって休むことが出来たのだ。本当によかった。歌舞伎を見る体力が養われた。

けれども歌舞伎座で居眠りをするというのも、私の大きな快楽のひとつだ。あの三味線の音を聞きながら、うとうとするのはなんとも気持ちよい。

「眠たかったら、お休みになられても、全然構いませんよ」

ある時歌舞伎役者の方から聞いたことがある。そういえばお弁当タイムの後、ゆったりとした古典など見ていると、劇場にいる半分が眠っているのではないかと思うこともある。

しかし、その日は眠ることなどとんでもない。勘三郎襲名のプラチナチケットである。

ないことだろう。

玉三郎さんの「鷺娘《さぎむすめ》」と、「野田版　研辰《とぎたつ》の討たれ」を一緒に見られるなんてめったに

おまけに今朝の朝刊に、新勘三郎さんのインタビュー記事が載っていた。それによると、歌舞伎座の舞台は、上から客席がよく見える。そこから評論家が居眠りしているのが見えた。しかもその人は、次の日したり顔で劇評を書いていたという。

「こういう仕事をして楽しいんでしょうか」

温厚な勘三郎さんとは思えないような口調であった。

私が居眠りしているのをもし見られたら……。いや、こんな面白い舞台、眠くなるはずはないが、なにしろ前の晩、ほとんど眠っていないもんで……。

緊張していたら最後までちゃんと見ることが出来た。

帰りは麻布十番のおそば屋で、山菜のてんぷらやら、玉子焼きを食べる。今回のお芝居について、一緒に行った人と話す喜び。仲のいい女友だちなので、お芝居以外の話題でついつい長居をしてしまう。家に帰ったら十一時、こうして長い一日は終わりを告げたのである。

「これ、いただくわ」

今、私が原作のドラマ「ａｎｅｇｏ」が放映されている。

これがとても人気が高く、先週こそ、大きなニュースがあってやや視聴率が落ちたが、それまではドラマでは三番目の数字を誇っていた。一番はキムタク主演のドラマ、二番はＮＨＫ大河だから、大健闘といっていいだろう。脚本もいいし、出演者の人たちがノリにノッている。世間でもこのドラマの話題でもちきりという。

おかげで一年半前に出した原作が売れ始めた。親しい編集者からは、

「ドラマ特需だな」

とからかわれる始末だ。

今まで何度も原作をお渡ししたことはあるが、こんな風にドラマ人気で本が売れたのは初めてだ。

「作家にとって、いちばん嬉しいことは」と聞かれることがある。読者からの手紙を読むこと、サイン会にずらっと行列が出来ること、などとよく答えるが、そりゃあ、あーた、本が売れる喜びといったら、ちょっと口では言い表わせません。

本がしょぼい売れ行きだと、担当編集者からも電話がかかってこなくなる。こちらもかけづらくなり、お互いに何となく気まずくなってしまう。次からは初版部数も減らされ、何かイヤな感じ。すべてが遠慮がちになってくる。

たまに食事を誘われても、

「いえいえ、私なんかおごってもらうのは申しわけない」

とお断わりしてしまう私。

けれども、本が売れ出した時の、作家と編集者ときたら、楽しい楽しい蜜月時代である。

「ハヤシさん、また増刷〇万です」

「ホーント、うれしい」

「この分ではまだまだいけますよ。まあ、見ててください、会社挙げて頑張ってますから」

こういう言葉を聞くと、めったにないことなので、作家になった喜びがじわじわわいてくる。何年かに一回、こういうことがあるから、私らは書き続けられるのだ。

さて、本も売れていることだしと、いろいろお買物をする。このあいだは名古屋の友人に連れられて、あちらのギャラリーを見た。名古屋のこの友人は若いけれども大金持ちで、現代美術のコレクターである。おうちに飾ってあるものも見せてもらったが、とても趣味がいい。

「ハヤシさん、何億、何千万もする名画なんて、もっと年寄りに任せとこうよ。僕らが買うのは二十万円以下のものでいいよ」

と彼は言う。

「僕たちさ、若い人を応援した方が楽しいと思うよ。二十万出せば、面白いもの、いっぱい買えるよ」

彼はいきつけのギャラリーに連れていってくれた。美人のオーナーがひとりで経営しているこの店は、今、世界的に活躍している某アーティストが、最初に個展を開いたところだという。ここで気に入った画家がいて、彼の絵を探してもらうことにした。

その後、地下の別のギャラリーで絵ハガキ大のリトグラフ、人形のオブジェ、陶器など次々と買う。買う、といっても、三千円、五千円といった、丁寧に包装してもらうのも申しわけないほどのお値段。もともと買物にそう迷うことのない私であるが、ここでは〝太っ腹〟に拍車がかかる。

「これ、いただいておこうかしら」

その時、彼がしんとした表情をしたのが気になった。

しばらくして、お茶を飲んでいる時、彼がこんなことを言い出した。

「僕さ、ハヤシさんが『これ、いただくわ』っていうたびにギョッとしちゃったよ。この人、ちょっと有名人だからって、タダでものをもらう気なんだって」

これにはびっくりした。

「どうして。『これ、いただくわ』っていうの、買うっていうことに決まってるじゃないの」

「そうかな、ふつう言わないよ」

いわれのない罪を着せられた私は、しばらく沈黙してしまった。

「わかった。『これ、いただくわ』っていうの東京の言葉なのよ。買うわ、っていうのはあまりにも直接的なので、ちょっと遠まわしの言い方してるんだから」

「ふうーん」

しかし彼はまだ腑《ふ》におちない様子であった。

それにしても名古屋の景気はすごい。噂には聞いていたが、駅を降りた時から、人と熱気でウォンウォン音が聞こえる。もともと好景気にわくところ、万博のせいでますます人とお金が集まるようになったという。デパートに行くと、この国のどこが不景気なんじゃと思う。女の人は綺麗でおしゃれで、みんなブランドのバッグをぶら下げている。

某ブランド店で、かの有名な「名古屋巻き」をした女性が洋服を選んでいる。

アクセサリーを見るふりをして、会話を聞く。

「これ、いただくわ」

で疑いを持たれた私。名古屋の女性ははたして何と言うのであろうか。

彼女は言った。

「これ、いいわね」

そしてこうも言った。

「○○さんにお願い」

そうか、お金持ちというのは外商にまわすのか。それにしても、このさりげなく高慢な言い方ってカッコいい。お金持ちの世界は本当に奥が深いんだなぁ。ちょびっと本が売れたからといって、はしゃいでいた自分が恥ずかしい。

朝の決意

「早起きは三文の得」

この言葉を毎日嚙みしめている私である。

毎朝子どもを電車で学校に送っていき、それが終わると朝の八時前には体が自由になる。

人もまばらなスタバで、カフェ・ラテを飲みながら、さあ何をしようかなと考える。電車に乗るため化粧もしているし、一応ちゃんとした服だ。

初夏の街はしたたるような緑に溢れ、空気は透きとおっている。うちに帰って仕事をするに越したことはないが、それではこの時間があまりにももったいない。

最近何をするかというと、六本木ヒルズまで行き、ホテルで豪華な朝食ビュッフェを食べる。そしてヒルズの中のヴァージンシネマズで、九時半からの映画を見る。私はオペラや歌舞伎には足しげく通うくせに、この十年来映画はご無沙汰していた。昼間二時間という時間をつくるのはむずかしかったからだ。

　それがこの早朝シネマのおかげで、いっきに映画好きになってしまったのである。

　そしてヴァージンシネマズにかかる映画のほとんどを見終わった頃、顔筋《がんきん》マッサージの特訓を受けるようになった。

　今、女性たちの間ですごい話題になっている、小顔となるためのマッサージだ。今まで顔のマッサージというと、やさしく、やさしく、肌を刺激しないようにというのが基本であったが、このマッサージは違う。顔の筋肉に沿って、すごい力で上に持ち上げていくのだ。田中宥久子《ゆくこ》さんという方が田中メソッドとして考案し、ここの化粧品はマッサージクリームをはじめとしていますごい売れゆきなのだ。

　私も女性編集者に誘われ、田中先生にマッサージしていただいたところ、一回で顔がまるっきり変わった。私の弛《たる》んだ肉をぶちゅーっとひき上げてもらい、プッシュする。その結果フェイスラインがくっきりシャープになったのだ。

　が、難点があり、このマッサージは自分でするとむずかしい。本とマッサージのDVDも買い、毎晩自分で練習をした。

　顔一面真白にマッサージクリームを塗り、ひたすらDVDの画面に見入る私を、夫は
「こわ過ぎる……」と言ったものだ。しかしこれほど努力しても、自分でやると今ひと

つ力の入れ方がわからないのだ。

「それなら私のうちに来てください。特訓しましょう。朝の八時半なら、もう起きてるし、まだ仕事はしないから」

田中さんからありがたい言葉をいただき、早朝特訓に通うようになった。先生みずからお化粧を落とし、二人で鏡の前に向かう。体中の力を込めて指先を使うから、二回やる頃には、ハァハァ息も荒くなってくる。

「ハヤシさん、もう一回。もう一回最初からやってみましょう。ほら、もう一回」

まるで「巨人の星」の星一徹と星飛雄馬のように、あるいは「ガラスの仮面」の北島マヤと月影千草のように、厳しいレッスンは続く。ああ、美しくなるというのはなんと大変なことであろうか。

しかしこの特訓も明日で終わりだ。さあ、何をしようかと私は考え、

「やっぱり英語だな」

とつぶやいたのである。

若い時はそれなりに頑張ってきたのに、中年になったとたん放棄した。そうしたらごくごく簡単な会話さえ聞きとれなくなってしまったのである。昨年ロンドンへひとりで旅した時、イミグレーションの質問にさえ、とっさに答えることが出来ず愕然とした。

そしてつい先日、急逝した中尊寺ゆつこさんの遺作となった「やっぱり英語をしゃべ

りたい！」という本が送られてきた。これにはいろんな思いがある。

中尊寺さんとは年齢も仕事のジャンルも違うことであり、おめにかかったのは二回ぐらいである。最後に会ったのは昨年の十一月、とある会合であった。そこで彼女が行ったアトランタの話になった。

「中尊寺さん、英語で講演したんですってね、本当にすごいわ。私とはまるっきり違う」

心からそう思った。

四年前のことになるが、ニューヨークのジャパン・ソサエティから頼まれて講演をした。もちろん日本語で、通訳をつけてもらったのであるが、細かいニュアンスはほとんど伝わらなかったと思う。この時、私を食事に招待してくれ、何かとめんどうをみてくださったのが領事館のAさんであった。男性でインテリの方にしては非常に珍しく、私の本をよく読んでくださっているのに驚いた。気さくなとても面白い方で、日本に帰ってからもメールをいただいたり、こちらからも新刊を送ったりするつきあいが続いた。

この方がアトランタ総領事になった時、パーティーのお誘いを受けた。ジミー・カーターさんやジェーン・フォンダさんもくる、ぜひハヤシさんも、と言われたのであるが、英語が出来ない私が行っても楽しいことは何もない。残念に思いつつお断わりした。

そうしたら中尊寺さんの活躍である。アトランタのジャパン・デイに招待され、大学で講演した。その際も堂々と英語で話され、カーター元大統領ともディナーの際、見事に歓談したという。羨《うらやま》しいなあ、すごいなあとため息をついた。同じような場を与えられても、私とまるっきり違うのだ。帰国子女でもない中尊寺さんは、コツコツ文法から始めたと本には書いてある。努力で英語を自分のものにしたのだ。

ところがご存知のように、あまりにも若過ぎる死だ。あんなに綺麗で才能があって、はつらつとしていた人なのに。あれだけ英語が出来たなら活躍の場を世界に求めることも出来たろう。そして私には、まだたっぷりとした時間が与えられている。この頃中尊寺さんの遺した本が気になって仕方ない。全く時間というのは、神さまからのプレゼントだよなあ。早起きするようになってつくづくそう思う。

シアター疲れ

今週は〝シアター・ウィーク〟であった。

私のところには、よく催しものの案内や招待がくる。

「これ、面白そうだから行く！　出席に○印つけといて」

「このチケット、二枚買っといてね」

ハタケヤマに頼んでおくと、彼女はいろいろ手配をしてくれ、スケジュールに組み込んでくれる。が、今週のスケジュールを見て私は叫んだ。

「あら、うそーッ、今週は月から金まで毎晩何か見てるじゃん。ちょっときつくない」

「でも、ハヤシさん、やっとチケット取れたもんばっかりなんですよ」

相変わらずクールな彼女。私のどんな文句や抗議にも眉《まゆ》ひとつ動かさない。

「ハヤシさんの希望どおりしたらこうなりました」

の一点バリである。

月曜日はかの話題作「宇宙戦争」のプレミアム試写会であった。「夫婦同伴」などめったにしない夫であるが、世界で初めての上映と聞き、六本木ヒルズで待ち合わせた。盗撮を避けるため、ものすごく厳しいセキュリティとあらかじめ聞いていたが、入り口は二重にも三重にも封鎖されていて、ガードマンと黒服がいっぱいだ。招待状やあれこれ見せた後〝セレブ〟の方々は、赤じゅうたんを踏んで会場に入る。それが特設ステージの巨大スクリーンに映し出される。

「タレントの○○さんがいらっしゃいましたー」

ドレスコードは何もなかったのに、みなさんすごいおしゃれをしている。

「あんなとこ通るんだったら、絶対に行かねえからな」

と夫。会社帰りなのでくたびれたスーツに、ビジネスバッグといういでたちだ。ごもっとも。

「すいません、ふつうのおじさんとおばさんの通る道ありますか」

ちゃんと抜け道があった。そこを通り、金属探知機のゲートも通り、財布以外の荷物はすべてとり上げられ、その財布も中身をチェックされ（本当）、やっとシアターの中に入った。おまけにすごく待たされ、夫はかなりぶつぶつ言っていたのであるが、サプライズとして、スピルバーグ監督、トム・クルーズたちが舞台挨拶にやっていらした。

すぐ間近で二人を見られ、単純な夫は感激していた。

「オレの人生で、スピルバーグをこんなに近くで見られるなんて、想像もしなかったよな」

映画は怖くて、怖くて、見た直後はそうでもないが、次の日から効いてくる。ふつうの朝を迎えて、ふつうに暮らすことが、奇跡のように思えてくるのである。

さて次の日は、すごく遠い劇場だったので、あらかじめお断わりし、その替わり会食の予定を入れてしまった。初対面の女性五人と中華を食べる。

そして水曜日は、待ちに待ったユーミンのコンサートである。今年のツアーは、渋谷のNHKホールであったが、このくらいの大きさの方がいい。代々木体育館でやる大スペクタクルショーもいいが、こっちの方がユーミンの歌をじっくり聞けるからである。NYのラジオ・シティ・ミュージック・ホールでやるような、とてもおしゃれで凝《こ》ったステージである。なんとユーミンは手品まで披露してくれたのだ。もちろん歌もたっぷり。

ユーミンの素晴らしさは、発音がいいのと、自分が書いている詞のため、日本語がちゃんとこちらの胸に届くところだ。今の若い歌手は、何言ってるか本当にわからないもの。そして昔のよく知っている歌が続くと、私ら世代はもう駄目だ。当時の思い出が次々と甦り、涙が出てきてしまう……。が、こうしたノスタルジックな聴かれ方は、ユーミンのいちばん嫌いなところだろう。ステージの彼女は、モー娘のようなミニのプリーツスカートもよく似合う。新曲も含めて激しいテンポの曲を歌い、それに合わせて踊る。観客を総立ちにさせ、熱狂させる。カリスマになれるスターはいるが、女神になれる人はまれだろう。カリスマはいっとき、神は永遠のものだ。バックコーラスに合わせて踊る彼女は、相変わらず美しくカッコいい。同い齢《どし》のユーミンを見ていると、特別の感慨がわく。私も本当に頑張らなきゃと心に誓う。

同じようにユーミンファンの柴門ふみさん、江原啓之さんと、あれこれ喋りながら食事をして帰ったのは十二時を過ぎていた。お風呂に入り、日課の顔筋小顔マッサージをいつもより念入りにしたら一時をまわってしまった。

次の朝、六時に起きるのは本当につらい。しかし仕事で遅くなったわけでなし、ここで愚痴を口にすれば、

「毎晩遊んでるからいけないんだろ」

と夫に叱られるにきまっている。頑張って起きなきゃ。

しかし心配なことがある。今夜は渡辺えり子（現・えり）さんが演ずる「ミザリー」なのだ。えり子さんが「ミザリー」なんて、あまりにもぴったりではないか。彼女のことだから、狂気と愛らしさに充《み》ちたアニーを演じるに違いない。事実評判もとてもいいようだ。けれども小劇場であいう重く見ごたえのあるお芝居を見るのは、こちらも強

い精神力と体力を必要とする。連日の疲れで少々へばっている私、ともすると萎《な》えそうな心を励まして劇場に向かった。

はたして彼女の演技は素晴らしく、二人芝居なのに全く退屈しない。あっという間の三時間であった。お芝居がはねた後、いつもは友人とゆっくり食事をするのであるが、明日は歌舞伎がある。体力を温存しなくては。というわけで、閉店前の「中村屋」であわただしくカレーを食べて別れた。

そして最終日金曜日、うーん、さすがに夜出かけるのはつらい。夫にも怒られそうだな。そうしたらハタケヤマ嬢が青ざめた顔でやってきた。

「ハヤシさん、すいません。夜を予約したつもりが昼でした。二時からは対談が入ってます。ダブル・ブッキングしました」

「いいの、いいの、気にしないで」

たまたま打ち合わせに来た編集者にチケットをあげ、おおらかに笑う私であった。

二千万の仕返し

名古屋の友人、A氏のことはすこし前にお話ししたと思う。

まだ若いのに、コンテンポラリー美術の大変なコレクターである。話がある画家のことになった。

「あ、その人のなら持ってる」

と私。

「今から七年ぐらい前に買った、とってもいい絵があるの」

「えーっ」

A氏と居合わせたギャラリーのオーナーとが、同時に大きな声をあげた。

「それって何号ぐらい」

「わからないなぁ、畳一畳分には足りないぐらいかしら」

当時、彼は画家というよりも新進のイラストレーターといった感じで、一般の人にはほとんど知られていなかった。最初の画集を見て、すっかり彼の絵が気に入った私は、知り合いを通じ、特別に譲ってもらったのだ。私としては小さな額ぶち程度のものを買うつもりだったのに、とても大きなものが届いて驚いた記憶がある。

「ハヤシさん、それ、いくらで買いましたか」

「確か、二十万だったかしら」

しばし沈黙。やがてA氏が口を開いた。

「ハヤシさん、実物を見ないとわかりませんが、最近その大きさのものが、サザビーズで二千万円で取り引きされました」

「ニ、ニ、ニセンマンエンー！」

はしたなくも大声を出したのは、金額もさることながら、もうひとつの理由がある。だらしなく忘れっぽい私は、引越しの際この絵をどこかに紛失してしまっていたのだ。

「そんな大きなもの、失《な》くすわけないでしょう」

「でも、本当にどこかへいっちゃったのよ。この六年ぐらい見たことがない」

「ハヤシさん、すぐに探してください。二千万円ですよ、二千万円」

それから私の眠れない日が続いた。あの絵、いったいどうしたんだろう。引越しの時、こんな大きな絵、飾るところもないし、いったいどうしたらいいんだろうと、舌うちしたい気分になった。そのバチがあたったのか、忽然《こつぜん》と消えてしまった名画……。もちろん捜索はしている。納戸の中、押入れ、物置きと化した客間、そう広い家でもないのに、どうしても見つからない。私はハタケヤマに言った。

「とにかく二千万なの。どうしても探して」

ハタケヤマはヒェーッと叫んだ。しかし自ら〝探しものの名人〟と名乗る彼女。二日後、見事名画を見つけてくれたのだ。名画はなんとガレージの奥にあった。このところの梅雨で湿気がひどく、紙がペラペラしている。これが本当に二千万円するんだろうか。

昨夜、たまたま上京してきた彼に、写真を見せたところまたまた沈黙。

「ハヤシさん、どうしてその時油彩を買わなかったの」

「えっ」

「キャンバスに描いたものだとばっかり思ってたのに、こんな薄い紙だったらいくらもしないよ」

残念。二千万の夢ははかなく消えたのである。

ところでこのA氏と最近よく遊ぶ。ひとりでぶらっと東京にやってくるのだ。バツイチでさみしいのかもしれない。

A氏は、美術も大好きだが、お芝居にも目がない。先週は「コクーン歌舞伎」に誘われた。

「終わるの十時ですが、その後食事につき合ってくれますか」

とメールが入ったので、もちろんと答えた。その夜会うなり私に言った。

「ハヤシさん、今夜の食事はすごいですよー。東京でいちばんおいしいおそば屋を予約しました」

後で他の人に聞いたところ、値段も東京一、いや、日本一のおそば屋らしい。

「あーら、残念。いまダイエットしているの。炭水化物は絶対にタブーなの」

「えー、それは知ってたけど、そばならいいでしょう」

こういう誤解は多い。そばは確かにローカロリーで健康食であるが、私のように炭水化物抜きダイエットの方法をとると、摂《と》ってはいけないものになるのだ。

「ど、どうしよう、もう予約してるし」

真青になるA氏。

「キャンセル出来ないの」

「とんでもない。そんなこと出来ません」

高級そば屋によくある話であるが、人数に合わせて材料を用意するため、キャンセルなどしたら大変なことになる。それからA氏は電話にかじりつき、私のためにそば以外のメニューをいろいろ頼んでくれたようだ。

そして都内某所のおそば屋に行ったのであるが、想像していた以上に敷居の高いところであった。おかみさんは、日本人なら誰でも知っている名門そば屋のお嬢さんだった。私たちの傍に座り、えんえんとそばの由来、昔のそば屋の話、そばがいかに繊細で素晴らしい食べ物かという話をする。こういう店で、そばを食べない私の身にもなって欲しい。もっと気の毒だったのがA氏だ。彼が美術とお芝居と同じぐらい愛しているのがそばで、この店はまさに聖地のようなもの。そこへ異教徒を連れていったのだ。私もお店に気を遣うタチなので、A氏の気持ちがよくわかる。大切なお気に入りの店に、すごく失礼な客を連れていったのだ。

「ハヤシさんは今、先生についてダイエットしてて、ちょっとでも炭水化物を口に入れると体が化学変化起こして」

ずっとくどくど言いわけしていた。が、私はここの焼魚や小鉢が素晴らしくおいしくて充分満足していた。それに汗をかきかき言いわけするA氏を見るのも面白かった。あの二千万円がフイになったショックは大きく、私は最初に夢を見させてくれた彼のことを、ちょっと恨んでいるのかもしれない。

ディスカバー東大

かなり大人になるまで、東大生とか東大卒の人を見ることはほとんどなかった。友人にもいない。親戚でも聞いたことがない。一族のなかで秀才の誉《ほまれ》高かったわが弟にしても、結局は東北大である。

学生時代、東大生とコンパをした経験もなく、東大生とおつき合いをしたこともない。ああいう人たちは、どこか遠くに存在するものだと思っていたのである。まあ、田舎の庶民の娘などそんなものであろう。

ところが最近、ふと気づくと、右を向いても左を向いても東大卒ばかりである。〝エンジン01文化戦略会議〟という、文化人の団体に入ったことが大きい。みんな忙しい人たちばかりなのに、しょっちゅう集まってはミーティングや勉強会をしている。

ある時教育問題について話していたら、誰かが、

「やっぱりすべての元凶は東大なんじゃない。あそこが入試を撤廃しない限り、日本の教育は変わらないよ」

と言いかけ、

「あれー、ここにいるの、東大卒ばっかりじゃないか」

と叫んだ。確かにそこにいた十人ほどのメンバーのうち、六人は東大卒、あるいは東大教授だったのである。

そしてこの人たちは口を揃えて言う。

「東大に入るのなんて、本当に簡単だよ」

官僚から最近民間企業のえらい人になったA氏は言う。

「あのね、試験にコツがあるの、コツ。僕なんかさ、子どもの頃からこういうのプロだったものね。東大入るのはね、八十点とればOKなんだよ。答案用紙が配られる。凡才はね、時間中になんとか一問でも多く解こうとする。だけど僕たちならそんなことしない。八割解いたら読み返す。ミスがないかゆっくり点検する。これでOKなの」

東大教授のフナビキ先生は、奥さんもお姉さんも、お嬢さんもみんな東大卒という方だ。

「東大なんて高二になってから頑張ればいいの。あんまり早くから勉強すると息切れするよ」

そのフナビキ先生から、エンジン０１のメンバーに対しこんな提案があった。

「うちのゼミの学生は、まだ仕事のイメージをつかめていない。一線で働いている方々の〝一日付き人〟をやらせてもらえませんか」

そんなわけで先生のゼミの女子学生が、一日うちにやってくることになった。さあ、どうしたらいいんだろう。作家というのは、一日仕事場の中に入っている地味な仕事だ。私など外に出ることが多い方だが、それでもこれといったインパクトに欠ける日常だ。この一日付き人を既に受け入れた某有名評論家の方は、某企業の講演会に連れていき、夜は高級料亭の接待にも同席させたそうだ。

「うちも何とか楽しい思い出を……せめてテレビ局に連れていってあげたいな。あ、これ、いいじゃない。『ＮＨＫへの提言』一分半のインタビューだって」

というわけでテレビの仕事も引き受け、夜はフナビキ先生と一緒の座談会の仕事を組み合わせた。これならばバラエティ豊かな一日になりそうだ。

約束の九時半、うちのチャイムが鳴って東大の学生さんがやっていらした。この頃の東大の女子学生はレベルが高いと聞いていたが本当だ。顔がかわいいだけでなく服のセンスもいい。文学専攻のＢ子さんは二年生。将来は演劇関係の仕事に就《つ》きたいそうだ。

高級料亭とはいかないが、お昼は家の近くのレストランでカレーライスをご馳走する。ハキハキと喋るＢ子さん。彼女は東大に入る前、お茶の水女子大に通っていたそうだ。

「お茶大生だった時と、東大生になった今とで世の中の反応違う?」

「そりゃもう、全然違います」

きっぱりと言う。

「お茶大生だった頃は、勉強好きなまじめなお嬢さん、っていう感じで世の中にふつうに受け入れられましたけど、東大生っていうとまず引かれます。すごいって言われるんだけど引かれるんです」

「ふうーん」

「同じ大学の人にさえ引かれるんです。東大にはテニスサークルがいっぱいあるんですけど、その中で東大の女の子が入れるのは三つだけです」

「それって差別だよね」

「だけど文Iの女の子はすごいですよ。みんなすごい美人で頭もよくて、家もお金持ちって人ばっかり。欠点を探してもないような人ばっかりなんです」

彼女が言うには、自分のように無理して東大に入っても、東大の中の本当の優秀な人たちにコンプレックスを感じてしまう。東大の中にもちゃんと格差があるそうだ。

私はふと最近読んだ「ドラゴン桜」を思い出した。今大人気の漫画である。落ちこぼれの高校生を東大に合格させるために、受験請負人の特訓が始まる。その中にこんな一節があったっけ。

「お前ら東大に入れれば、人生が百八十度変わるんだ」

最近いろんな意味で東大が脚光を浴びているような気がする。それは少子化に伴い、大学の偏差値地図がめまぐるしく変わる中、東大は人々がすがる唯一究極のブランド校であること。受験を知識の蓄積ではなくゲーム感覚でとらえる流れが出来たことが大きい。これならばもしかして東大も夢ではないと考える者が出てきても不思議ではないだろう。そうそう東大医学部卒の和田秀樹先生もこうおっしゃってた。

「今はすべての大学のレベルが下がってます。昔早稲田に入れた人の実力なら、今は東大、ラクに入れます。今、本当に狙いめなんです」

学歴社会がいきつくところまで行きついた先は、

「悲愴感持たず、深く考えず、いちばん得になることをしよう」

というあっけらかんとした功利主義か。

ミズオ逝く

よく私のエッセイのネタになってくれていた愛猫ミズオが、先週十七歳の生涯を閉じた。

急に具合が悪くなり、動物病院の院長先生に往診していただいたところ、

「腎不全の末期で脱水症状を起こしています。点滴をやってみますが、トシがトシですからどうでしょう」

ということだった。

「もし駄目だったら、うちで看取《みと》ってやりたいので、その時はよろしく」

と言い、運ばれるのを皆で見送った。ここのところ寝てばかりのおじいさん猫だったが、人懐っこさは相変わらずで、誰にでも足元に寄って体をすりすりしていたっけ。

家を出ていく時は皆が泣いた。ハタケヤマも家政婦のKさんも私もおんおんと泣き、

「ミズオー、ミズオー」

と声をかけた。夜、その話を夫に伝えたところ、

「け、たかが猫にこの家はエキセントリックになり過ぎるんだよ」

などと平気で言う。本当に冷たい男だ。

この五年間というもの、夫はミズオをかなりいじめていた。確かに夜明けにすごい声を出したり、何度注意してもしつこく台所の蛇口に口をつけて水を飲んだりしていた。その時の夫の見幕《けんまく》がすごく、

「猫の躾《しつけ》も出来ないのか」

ガミガミ怒鳴られる始末で、私もほとほと嫌になってしまい、ついミズオを邪慳《じゃけん》に扱ったこともある。新しい夫に気がねして、連れ子をいじめる母親の心境であろうか。

二日後動物病院から連絡があった。

「点滴をしても少しもよくなりません。もう駄目でしょう」

家政婦のKさんは、こんな家でミズオが最期を迎えるのは可哀想に思ったらしい。

「私のうちに連れて帰ります」

と言ってくれたのである。

このKさんという人は、幼い頃養女に出され、〝おしん〟どころでない苦労をしたそうだ。貰われ先でろくにご飯も食べさせてもらえず、学校も休みがちで、「私の友だち

は猫だけだった」という。

だから捨て猫はほうっておけず、それこそ何匹も拾って育てたそうだ。うちに来てからのKさんのミズオに対する接し方ときたら、文字どおり「猫っかわいがり」。他に人はいないはずなのに、いったい誰と話しているんだろうと階下に降りていったところ、Kさんがしきりにミズオに話しかけている。二人で庭で遊び、その時は水道からたっぷり水を飲ませている。私なんか一度もしなかった耳のお掃除もやってくれ、爪を切ってくれるのもKさんであった。

もうぐったりと目も開けないミズオを、バスタオルで大切そうにくるみ、わざわざ迎えに来てくれた息子さんの車で帰っていった。

そして次の日、同じように抱っこしてKさんはやってきた。

「奥さん、今日の午前一時に亡くなりました」

そして部屋の一角にお線香とろうそくを用意し、ミズオを横たえてくれた。みんなで合掌し、また泣きに泣いた。

「もっと可愛がってやればよかった、ごめんね……」

独身の頃はベタベタ一緒だったのに、最後はKさんの猫みたいだった。

この後のこともKさんは詳しく、動物霊園のパンフレットを持ってきてくれた。いつのまにかミズオの写真も、写真立てに入れてくれている。

「奥さん、すぐにお棺を持って引き取りに来てくれるけど、葬儀は値段によって違います。どうしますか」

Kさんがじっと、パンフレットを持つこちらを見ている。その手前、安い梅コースも頼めず五万九千円なりの猫の最高クラスにした。この値段だときちんとした葬儀をやってもらえるのだ。

そしてその立ち会い葬がおととい行なわれたのである。〆切りが重なってものすごく忙しい日であるが、これまたKさんの手前どうしても行かなきゃいけない雰囲気。Kさんが全身黒い服なので、私も着替えることにした。ピンクのスカートを脱ぎ、一応黒い上下を着た。しかしKさんの鋭いひと言。

「奥さん、数珠《じゅず》を持ったんですか」

「えー、数珠まで持つの。喪服も着なきゃいけないかなあ……」

と冗談を言ったのだが無視された。

ミズオを譲ってくださった動物病院の理事長が車で迎えにきてくださり、三人で世田谷へ向かう。着いたところは立派な動物霊園だ。通された部屋は斎場のミニ版といったところ。白い棺《ひつぎ》の中でミズオが花に囲まれ眠っている。ここでひとしきり泣き、Kさんはしきりに写真を撮った。やがて黒服の係員がおごそかに言った。

「それでは導師さまご入場、皆さま立ってお迎えください」

立派な袈裟《けさ》を着たお坊さんが入ってきたのには驚いた。そして仏壇に向かって一礼し、お経を唱え始める。

「長きにわたって――、いつくしまれし愛猫ミズオの霊が――」というくだりが織り込まれた南無阿弥陀仏《なむあみだぶつ》だ。それを聞いているうち、とてもおかしな気分になった。悲しいことは悲しいけど、誰かがふっと笑ったら、私もつり込まれて笑いそうな気分なのである。何かのきっかけで「マジ――?」と言いそうな自分がこわい。

そして読経が終わった後、お坊さんを先頭に同じ敷地内の焼き場へ行った。釜の中に入れる時も、ちゃんと読経とセレモニーがあった。これも人間のミニ版なのである。焼き終わるまで一時間あり、待ち合い室でしばし寛《くつろ》ぐ、ここも人間の時と同じ。

そして骨にしたミズオを、立派な骨壺に入れて持ってきた。この時はさすがに白い布でなく、紙袋であった。

物書きの家に貰われ、一生を全《まっと》うしたミズオ。最後までネタになってくれて、本当にありがとうよ。それにしてもこれだけ立派なお葬式をしてもらったので、気持ちがすっきりし、あれ以来一度も泣いていない私。

「25ans（ヴァンサンカン）」の時代

来月、新しい小説を出すことになった。

新刊を出す時、一生懸命パブリシティをする作家と、そうでない作家がいるけれども、私は後者の方。

ある編集者がいみじくも言った。

「自分の手から作品が離れると、とたんに興味を失う人がいるけれど、ハヤシさんはその典型ですね。校正もちゃんとしてくれないし、サイン会もあんまりしないし、装丁も編集者任せだし」

私は本の売れゆきは、

「あたるも八卦《はっけ》、あたらぬも八卦」

と考えている。こちらも出版社もうんと手をかけ頑張ってつくった本がまるっきり売れなかったこともあるし、ほとんど期待しなかったのに、なぜか売れたりすることもある。本を出す、というのは一種のギャンブルのようなところがあり、ここに面白味がある……。などと呑気《のんき》なことを言っているからこの頃つらいことになる。

が、こんなグータラな私であるが、来月の本に関しては結構ちゃんとやっている。なぜなら出版前からいろいろ取材が入っているからだ。最近こんなことは珍しい。私のように本を百八十冊も出していると、出版しても新鮮味に欠けるため、めったに取り上げてもらえないのだ。

やはり内容がバブルの時をテーマにしているからであろう。これを書くにあたって、かなり綿密な取材をした。たとえば麻布十番のディスコ「マハラジャ」は、客を選別することで有名であった。

「その時の従業員の服装は黒服だったかしら、それとも、王宮風かなんかの変わった格好してたかしら」

とディテールにもこだわったのだ。もし当時こちら方面で遊んでいた方に、間違いを指摘されたらとても恥ずかしい。

が、今のところそれほどのミスはないようで、ゲラの段階で読んでくれた編集者の人たちとバブル話で盛り上がる。

「そう、そう、あの頃はタクシーがつかまらなくって、みんな体張って道の真中に出ていきましたよ」

「お得意さんにだけ教えてくれる、秘密の番号があって、マスコミの人たちはみんなそこにかけてましたよねえー」

つい先日、当時の日記が出てきた。そして吹き出した。いかにも私らしい。たった四日間しか書いていないのである。いったい何を思って、四日間書いたのか、今もって不思議である。たぶんこんな時代が長く続くはずがないから、書きとめておこうと思ったのではないか。しかし根性がないため、四日間で挫折した、ということだろう。

しかし若く独身だったため、四日間のうち二日は夜遊びしている。東京港に出来た新しいカフェバーに行き、もう一日は芝浦に出来たレストランに行ったらしい。当時すごく太っていた私は、残念ながらディスコにはほとんど足を踏み入れていない。遊ぶというと、食べるのと飲むのが専《もっぱ》らである。あとデブはデブなりに服を買いまくっていたかもしれない。

「ハヤシさん、これを読んでいて懐かしかったです。あの頃、カッコいい女の人っていうのはみんなアライアを着てたんですよね」

と言ってくれたのは、「25ans（ヴァンサンカン）」という雑誌の書評欄で、取材しにきてくれたライターさんであった。

「私はもちろんサイズがないので、アライアなんてボディコンシャスの極みは着られませんでしたよ。だけどユーミンが着てて、カッコよかったのは憶えてるなあ……」

「あの頃日本の女って、まだ体が薄くて、ああいう風にぴったり体の線が出る服は似合わなかったんですよね。でもユーミンはすごくメリハリのあるボディだったから、素敵でしたよね」

さすがファッション誌の人だからうまいことを言う。

「そうだ」

私は思いついた。

「今、この小説、ゲラ刷りの段階で手直ししてるんです。あの頃の女性の服を調べるのに、別の雑誌の編集部に行ってたんですけど、やっぱりバブルっていえば、『25ans』ですよね」

ここは当時、二十万のブラウスとか五十万のスーツをグラビアに掲載し、世の中の度肝を抜いた。

「すいません、おたくのバックナンバーを見せていただけませんでしょうか。取材に来ていただいたのも何かの縁ですし……」

と同席していた編集者の方に図々しいことをお願いし、快く承知していただいた。

そして今日午前中はずっと、「25ans」の編集部にお邪魔し、当時の雑誌を見せていただいたのだ。やあー、もう宝の山であった。当時の若い女性の豪奢《ごうしゃ》な生活が、これでもか、これでもかと出てくるのである。私の頭の中では、まだ出現していなかったと思っていたブランドが、一九八九年にはもう充分人気を博していたことも初めてわかった。

思えばここの雑誌と私とは、決していい関係とはいえなかった。グラビアに出てくるとんでもない金持ちの娘や上流ぶる女性を、私は何度もエッセイでからかった。かの叶姉妹がデビューしたのも「25ans」であった。あの時は「ライフコンサルティング」という肩書きだった彼女たちを、「こんなうさんくさい女」と書いたのも私。叶姉妹を「25ans」以外で書いたのは、私が初めてだろう。少し自慢である。

いつも意地悪なこと書いていたのに、古い雑誌を見ると、私の本を何度か書評で取り上げてくれている。それもとても温かくだ。そんなことを十七年たって初めて知った。

「ごめんなさい、こんなに親切にしてもらってたのに……」

とうなだれたりするから、なかなかメモが進まない。

それにしてもこれほど派手で面白い時代があったとは、ぜひ若い人たちに知らせたい……。今度の本は頑張ろう。

あ、ちゃんと本のパブリシティしてるよね。

魅力とキケン

神よ

友人たちとしめし合わせて、京都で遊ぶことにした。夕方着いて、次の朝には帰るというあわただしさであるが、真夏の京都は晩ご飯を食べるだけでも価値があるというものだ。

おいしい鱧《はも》を食べ、冷酒を飲む。その後はお茶屋に繰り出してもいいし、カウンターバーで、芸妓さん出身の綺麗なママとお話しするのも楽しい。

ひとり「のぞみ」に乗った。二時過ぎのグリーン車は空いていて、ちらほらと乗客が見える程度。前の席も空いていたのであるが、品川から二人乗ってきた。白髪の初老の男性と、若い女性の取り合わせである。男性が荷物を上に載せる。その甲斐甲斐しさに、アレッと思った。

父娘ではない。

ボスと秘書でもない。

そう親密な風でもないが、タダの仲では絶対にない。若い女性がもっと派手なタイプだと話はわかりやすいのであるが、全体的にとても野暮ったいコだ。着ている洋服も垢《あか》抜《ぬ》けない。

やがて二人は座ったので、私の視界からは消えた。そして三十分後、お手洗いに立った私は、見ないようにしながら、二人を意識して歩く。驚いた。しっかりと手を握り合っているではないか。

もう一度男性の年齢を推理する。六十五、六といったところだろうか。女の子は二十代前半。かなりの差だ。おそらく二人は、京都へ初めての小旅行に行くのだろう。男性の方は嬉しくて嬉しくてたまらない、といった様子である。

ところがもうじき名古屋だとアナウンスがあると、二人は荷物をおろし始めた。ここでじっくりと観察したいところであるが、目が合ったりするとマズい。もしかしたら女性の方が、私の顔と職業を知っているかもしれない。女の作家にさっきからウォッチングされていると気づいたら、とても感じの悪いものだろう。私は本を読んでいるふりをして、いっさい顔を上げなかった。

その替わりホームを歩く二人をじっと目で追った。二人ともカートをひいている。名古屋万博見物かしらん。女の子はミニスカートをはいているのであるが、それとハイヒールとの組み合わせが、ふつうのＯＬには見えない。おそらくおミズに入って、日が浅い子なのだろう。男性はやっと彼女を口説き落としたお客に違いない。

いずれにしても、新幹線の中で女の作家に会ったというのは気の毒だったかもしれない。こうしてネタになっていただいたのである。

昨年、三枝成彰さんにしつこく誘われ、一緒に断食道場に入ったことを憶えておられるだろうか。

その際、私ひとりが先に帰ることになった。熱海から新幹線に乗る。この時間「こだま」のグリーン車に乗る人は少ない。入ってすぐ、私は右手の窓際に、すごい美人が座っているのを見た。

一流の水商売の女性が持つ、洗練された品のいい雰囲気が彼女から漂っている。とにかく車内の空気を変えるぐらいの美人なのだ。

「ひとりで『こだま』に乗っているなんて、いったいどこから乗ってきたのかしら」

とつい考えてしまう。

私と通路をはさみ、左側に男性が座っていた。四十代のビジネスマンで、パソコンに向かってキイを打ち続けている。そして東京駅に着いた。ゆるゆると列車が徐行を始めると、男性が棚から小さなボストンバッグをおろした。せかせかした様子でドアに向かう。そうしながら、後ろを振り向き、例の美女に合図したのである。かすかに目を動かし、「じゃーね」と言うのを見た。それに気づいたのは、私だけだったろう。いや、私でなくてはその合図には気づかなかったに違いない。

この二人はゴルフか温泉に出かけた。しかし人の目があるので、帰りは別々の席に座ったのである。

「なるほど、そういうことだったのか」

こういう時、本当に嬉しくなる。しかもその男性には見憶えがあった。以前、人から紹介された、某有名企業の御曹子《おんぞうし》である。私は「武士の情け」で知らん顔をすることにした。

しかし、私はヒト様が想像するほど、いつもあたりを見渡しているわけではない。人の行動を盗み見しているわけでも、きき耳を立てているわけでもない。けれども目に飛び込んでくるのである。というよりも、

「女の物書きの前で、どうしてそんなに面白いことをしてくれるの!?」

と驚くことが多い。

何年か前、夫と東京駅地下街の「ぼてぢゅう」でお好み焼きを食べていた。お客は私たち以外にもう一組。さえないおっさんと、ひっつめ髪の中年女である。化粧もせず、グレイのワンピースを着て、なにやら暗い感じ。この二人、ふつうだったら夫婦と見るだろうが、私はそうと思えなかった。二人とも言葉を発せず、黙々と箸《はし》を動かしている。

私ら夫婦も、こういう時ほとんど会話をしていない。

しかし彼らの沈黙は、夫婦のそれではないのである。私には知り合ったばかりの男と女に思えてきた。

ややあって男が言う。

「オレ、昨夜《ゆうべ》イビキをかかなかった？」

すんでのところで、私は食べたものがつかえるところだった。す、すごく濃い会話だ。こんな質問を、何も私の前ですることないのに。

「いいえ、何も聞こえなかったわ」

女性が気を遣っているのはあきらかだった。いじらしくなるほどのやさしさをもって彼女は答えた。

が、ハイライトはなおも続く。やがてお好み焼きを食べ終えた二人は立ち上がる。男性は財布を出しながら言った。

「六百円でいいよ」

ひっくり返りそうになった。昨夜ベッドを共にした女性から、お好み焼き代を徴収しようとするのか。許せない。面白過ぎる。こんな時、どこかにいる「ネタの神さま」に私は愛されていると思うのである。

極楽のお値段

夏休みのバカンスでバリ島に来ている。

当初はハワイに行くつもりだったのであるが、たまったマイレージを使おうとするためどうしても無理がくる。

いろんな日にちを申し込んで駄目で、いっそ七月の初めの頃なら……、ともう一度トライしたところ、

「ハワイ行きマイレージの席は全くありません。バリ島なら空いてますよ」

とあちらから親切に教えてくれたのだ。

バリ島……、懐かしい思い出がいっぱいある。

十七年前、初めてこの島を訪れた私。な、なんと、かのデヴィ・スカルノ夫人と一緒であった。

当時、夫人はマスコミに出ることはほとんどなく、いわば〝伝説の人〟であった。私は夫人の伝記を書きたくて接触したところ、ジャカルタで会うことになった。

その際、

「バリ島へ行きませんか。あそこはスカルノ大統領のお母さんの出身地で、別邸があるの。わたくしはそこの別邸で、スカルノ大統領からプロポーズされたのよ」

ということで、編集者と三人、バリ島へ向かったのである。

十七年前のことであるから、夫人はまだそれはそれは美しく、輝やくような女盛りという感じであった。今もそうだけれども肌が真白で、ちょっと胸の開いたバティックをまとうと、女の私でも目のやり場に困るほどであった。

そういえばこちらの美人画というのは、髪型もさることながら、みんなデヴィ夫人にそっくりである。

夜飲みに行くと、夫人が誰だかわからなくても、ホテルのラウンジの男性客が、

「一杯やりましょう」

と近寄ってきたものである。

夫人は初対面の私たちにとてもよくしてくれて、友人の別荘にも連れていってくれた。あの頃は確か、外国人の不動産所有には制限があったはずだが、力もお金もある一部のオランダ人は、豪壮な別荘を持っていたのである。寺院と見間違うほどの宏大な邸《やしき》は、

蓮が浮かぶ池があり、それが裏のプールへとつながっている。池には幾つかのパビリオンと呼ばれる東屋《あずまや》が浮かんでいて、それぞれ趣向を凝らしたソファセットが置かれていた。

スカルノ大統領ゆかりの地であるから、別邸へ行くと支持者が多く、ここでは夫人は未だに大統領夫人の扱いだ。特別に私たちが中に入っていくと、門のあたりに群がる支持者から、

「デヴィ、デヴィ」（なんか敬称がついたかも）

と声があがった。

そしてそこの一室で、夫人は窓を指さしながらこうおっしゃったのである。

「ここで大統領は、沈む夕陽を見ながらこうおっしゃったのよ。私の生きていく支えになってください。私が大統領としての任務を遂行するうえでの、インスピレーションと力の根源になってくださいって」（ちょっと違っているかも。すいません）

窓を背にゆっくりと喋る夫人の姿はまるで映画の一シーンのようで、独身だった私と女性編集者は、すっかりぼうっとなったのを憶えている。あの美しさと、凛《りん》とした様子を見た者にとって、昨今のバラエティ番組でお見かけする姿は、ちょっと残念である……。

まあ、デヴィ夫人の思い出はさておき、十七年ぶりのバリ島は、あまりにも変わって

しまっていた。どこへ行っても夥《おびただ》しい数の車とオートバイである。それらが信号もなければ、お巡りさんも立っていない道路を、ルールもなく走っていく。そこに痩せた犬がちょろちょろ出てくるから、見ていて生きた心地がしない。

「あれーっ、危ない」

と小さな悲鳴をあげ続けている私。

昔はなかった免税品店がいたるところに出来て、エルメスやシャネルまであるから驚きである。が、いくら海外ブランド好きの私でも、バリ島へ来てまで、こういうものを買う気はしないなぁ……。

「マリコさん、その分、スパ三昧《ざんまい》しましょうよ」

といろいろ誘ってくださるのはコウコさんである。

彼女は私の家から歩いて三分のところに住んでいる。有名な政治家のお嬢さんなのであるが、そちらの方へ行かず、ビジネスの方ですごい才能を発揮しているスーパーウーマンだ。ハーバードのビジネススクールを出た後、いろいろな外国企業の日本代表をしているうち、バリ島に魅《み》せられた。今は公《おおやけ》に島のPRを担当しているうえ、バリ島の旅行代理店も経営しているのだ。

彼女が薦めて予約してくれたホテルは、いまバリでいちばん人気の「THE DUS《ドゥ》UN《スン》」というヴィラ。一戸一戸が塀に囲まれ、広いプライベートプールがある。私の泊まっているヴィラは、オープンエアのリビングとキッチンとツーベッドルームのある建物の他に、もうひとつ独立した小さなヴィラがある。一昨年のＣＲＥＡの「バリ島特集」の表紙を飾った、このホテルの売りのそりゃあ素敵な部屋である。

値段はそう高くはないのだが、毎朝庭師ふたり、朝食をつくりに来てくれる女性ふたりと、人がやたらかしずいてくれる。よってチップがバカにならない。とはいうものの、人件費は信じられない安さで、ドライバーもガイドさんも、ハワイの三分の一の料金で申しわけないぐらいだ。

その替わり、このバリ島では今や、スパやエステは外貨を稼ぐ一大産業となりつつある。コウコさんが無理してとってくれた大人気「リッツ・カールトンホテル」の、崖の一軒屋でのスパはもう極楽であった。バラの花びらのうかんだバスにつかりながら、海を見てシャンパンを飲む。が、後で請求書を見てびっくり。な、なんと四百五十ドルであった！「最後の楽園」で極楽を味わおうとすると、高くつくようになるのね。なんて言いながら今日もコウコさんと話題のスパに行ってきます。

バリから帰りました

バリ島は物価が安い。

ちょっとしたレストランへ入り、お酒を飲んで食事をしても、ひとり二千円ぐらいだ。

しかしこれもガイドさんに言わせると、

「とんでもない値段」

ということになるらしい。地元の人が入る食堂など、それこそケタが違うようだ。

とにかく一流ホテルのメインダイニングへ行かない限りは、イタリアンも中華も、世界中どこへ行ってもとんでもない値段の和食も、リーズナブルに食べられる。

自然は綺麗だし、バリ島の人はみんな親切でやさしい。いいことずくめのようであるが、ひとつ難点は車とオートバイがものすごく多いことであろう。

歩道のない狭い道を、車がぎりぎりですれ違い、その合い間を縫いオートバイがびゅんびゅんとばす。おっかなくて、そぞろ歩きとか、のんびりと買物が出来ないのである。これは発展するアジアに共通の悩みかもしれないが、車の増加にインフラが追いついていかないようだ。

が、たいていの観光客が泊まる海岸にある巨大なホテルには車で行くから、道の狭さやオートバイに怯《おび》えることもない。

リッツ・カールトン、フォーシーズンズといった有名ホテルの敷地は宏大で、その中にプールも緑も、レストランもお土産物屋も散歩道も何もかもある。観光客は外に出ることなく、敷地内で充分楽しめる仕組みだ。

名だたるホテルの中でも、いちばん巨大なのがリッツ・カールトンであろう。もはやひとつの町を形成していて、ホテルの他に、ヴィラが点在する谷があり、ごく最近とても素敵なフレンチレストランがオープンしたばかりだ。

ここのリッツ・カールトン・バリのオーナーはインドネシアの方だという。ジャカルタにも幾つもの企業やホテルを持っていて、あの曽我ひとみさんが家族と再会したホテルも、この方のものだそうだ。

「インドネシアでも指折りのお金持ちよ。それでね、奥さんが日本人なのよ」

とコウコさん。彼女は夫妻ととても仲がいいそうだ。

「それでね、あさってご夫妻がバリ島に来るから、ぜひマリコさんたちを食事にご招待したいって」

「そうはいっても、私は英語が出来ないから、そういうご飯がすっごく苦手なのよ」

「あら、ルディさんは奥さんが日本人だから、日本語ペラペラよ」

そんなわけで、ご招待に甘えることにした。当日は、このあいだスパでお世話になった日本人スタッフの女性ふたりも同席した。まだ若く美人、もちろん英語がペラペラである。最近世界のいろんなところで、こうした優秀な日本女性に会う。ひとりの方は、お父さまが、以前夫の会社の先輩だったというご縁があった。おそらく帰国子女なのだろう。

私と同い齢の夫人にぜひお会いしたかったのだが、急にジャカルタに残られることになって残念であった。が、ルディさんはとても気さくな方で、食事の後、ご自分の邸へ案内してくださった。なんとリビングルームの真中に噴水がある、まるで美術館のような豪邸だ。当然のことながら広いプールがある。それなのにこのバリ島の家にはめったに帰ってこないそうだ。

「今度来る時は、この日本間にちょっと泊めてもらおうかなぁ……」

本気で言ったのだが、返事はなかった……。

さて次の日、ケチャダンスを見るために、クタ地区へと行った。海水浴場で知られるが、ここが世界中に知れわたることになったのは、例の爆発事件であろう。三年前ディスコがテロにやられて、たくさんの死傷者を出したのだ。そこは今、空地になっていて、向かいには犠牲者の名を刻んだモニュメントが立っている。事件以降、それこそどのホテルもゴーストタウンのようだったのだが、今はその傷も癒《い》え、観光客数はプラスに転じたようだ。

　コウコさんは今、自分でもヴィラホテルとスパの施設を建設中である。業者が二十四時間態勢で建設にあたっているため、彼女も気が抜けない。毎晩十二時頃まで働いているそうだ。

　彼女の育ちのよさからくる屈託のない明るさは、こちらの人にも大人気のようだ。知り合いも多く、どこへ行っても声をかけられる。いろんなホテルのオーナーや、スパの経営者たちが彼女に協力しているさまは、見ていて気持ちよい。

「私、インドネシア語が出来ないから、すごくいろんなことで苦労してるの。だからね、知り合いにすぐ電話して助けてもらうの。今日は契約するから、おたくの税理士貸して頂戴ってね」

　帰る日の午後、ホテル・ドゥスンのオーナー、ロバートさんと一緒に食事をした。彼はオーストラリア人でまだ若い。こちらの奥さんとの間に小さい子どもが二人いる。

「コウコもそうだけど、僕たちはバリが大好きなんだ。ここでビジネスして、ここの人をハッピーにして、僕たちもハッピーになりたいのさ」

その夜、すっかり気に入ったビンタンビールを飲みながら、うちの夫もこんなことを言い出した。

「オレもここで何か始めようかな。人件費はタダみたいなもんだろう。観光客を相手に何か始めれば絶対にいいよな——」

「あなたには無理よね」

私は言った。

「世の中には、観光客にしかなれない人がいるけど、私もあなたもその典型だってば。よその国で何かするバイタリティや知恵なんかないわよ」

帰りの空港には、十日間お世話になったガイドのスパルティカさんが送ってくれた。別れが惜しくて、私たちは涙ぐんだ。気づくと他の日本人観光客も、泣きながらガイドさんに手を振っている。本当にいい人ばっかりのこの島が、もっと幸せになりますように、と祈らずにはいられない。

魅力とキケン

小泉さんがまたやってくれた。

あの記者会見を見て、私も拍手喝采をしたひとりだ。

「こうこなくっちゃ！　やっぱり小泉さんだワ」

最近、頑迷な権力者というイメージが強くなり、少々がっかりしていたのであるが、あの記者会見は昔の「変人」と呼ばれていた小泉さんである。

自分の思うことは命がけでやる。文句あっか、というあの強気は、小泉さんならではのものだろう。

「アンタ、ちょっと小泉さんと親しいと思って……」

と非難を浴びるのはわかっているが、それほど私は今回のことに心をうたれたのである。これだけ全身全霊を込め、何かに向かっていく男の人を久しぶりに見た。今の若い人にとっても新鮮だったに違いない。芸能人のヤラセなんかと違う。本当に人が怒っている凄さに、多くの人は驚きと畏《おそ》れを抱いたのではなかろうか。

私も経験があるが、怒りが頂点に達すると、すうっと頭が清澄になっていくのがわかる。クリアに冷静になった頭脳は、自分でも信じられないほど、論理的な言葉をつむいでいく。あの時の小泉さんもそうだったはずだ。あの記者会見は、歴史に残る名スピーチであったと私は評価しているのである。

もちろん反対の意見も多いだろう。一緒にテレビを見ていた私の母は、

「こんなこと、道理が通らない」

と怒っていた。

道理が通らないなんていうのは、小泉さんだって百も承知であろう。しかしめちゃくちゃなことをしてもいい。小泉さんはただ郵政法案を通したいのである。郵政法案を通すことによって、この国の根本を大きく変えられるはずだと信じているからである。

「変えられない」と反対派が言ったとしても、小泉さんはそう信じているのだから、もう誰も揺るがすことは出来ない。

「郵政法案なんてことじゃなくて、年金や景気、総選挙で論ずることはもっとあるだろう」

テレビでこういうことを言う人は多いが、もうそんな建て前やキレイゴトはやめた方

がいい。郵政法案は、単に法案じゃない。

「この国をいったいどうするつもりなんだ」

と、小泉さんは匕首《あいくち》を国民につきつけてきたのである。

「たらたら税金を使う国にするのか。ずうっと官がのさばる国にするのか。つまらん政治派閥や、特定団体にふりまわされる国にするのか、おい、はっきりしろよ。決めるのはあんたたちだよ」

小泉さんは私たちに凄んでみせているので迫力がある。この迫力に、手を挙げた候補者もなかなかのレベルではないか。猪口邦子さんとか片山さつきさんとか、今の日本を代表する女性の知性がずらり並んだ。もっともこの二、三日、名乗りを挙げる候補者のレベルがぐっと落ちたようでがっかり。

結局は無所属となったが、一時期はホリエモンの名もあって、ふうむと思った。彼が出てきた時、日本も変わったなあと思った人は多かったはずだ。嫌悪を感じる人も相当の数だったかもしれないが、ホリエモンの出現は、今の日本の閉塞感を破ってくれる小気味よさがあった。

多少強引だって何だって、わが道を行く。信じる者の強さと明るさを、私は小泉さんにも感じるのである。

最初記者会見を見た時、私は「週刊文春」の次の原稿は小泉さんのことを書こうと心に決めた。そして最後はこんな風に締めくくろうと思った。

「しかしこんなことをして世間が許すわけがない。おそらく自民党は大敗し、小泉さんはドン・キホーテと呼ばれることであろう。が、それでもいいじゃないか。小泉さんは日本に初めて現れた、全く新しい政治家として名を残すことだろう。それだけでもいいじゃないか。よし、今度の選挙は、何年ぶりかで、大きく『自民党』と書いてやろうではないか」

しかし世論調査によると、内閣支持率はぐんぐん上がっているそうである。どうやらあの記者会見に、大多数がまいってしまったようなのだ。みんなが私と同じことを考えていたとしたら、ちょっとイヤだけど仕方ないな。

とにかくここのところテレビの小泉さんから目が離せない。日に日に颯爽《さっそう》と若々しくなっていくのがわかる。総理になった頃の小泉さんのようだ。あの頃、老いも若きも小泉さんにキャーキャー言っていた。日本で初めての「アイドル宰相」とも言われたものだ。

総理になられてすぐ、オペラ公演の会場でお見かけしたことがある。あの時の人気は最高潮だったかもしれない。席に姿を現すや、会場から割れるような拍手が起きたのだ。

「アドレナリンが、今、充満してるはず」

と知人が言っていたが、今もそんな感じかもしれない。

　マスコミがどんなに叩こうとも、小泉さんの人気は高いままだ。移り気な人々の心は、再び小泉さんの方に向かっていったらしい。かわいそうなのが岡田さんで、私は最初自民党分裂の「漁夫の利」を得た民主党が、かなりいくかと思っていた。しかしどうしても間《ま》が悪い。

「刀で一本勝負しようじゃないか」

と挑まれたのに、ピストルや爆弾を用意しているような感じになっているのである。

が、不安はある。もし自民党が大勝し、このやり方がクセになったらどうなるんだろう。

「憲法どうするんだ。やっぱり変えた方がいいんじゃないか」

と小泉さんが言い出したら、今の勢いならどどーっと人が流れそうでこわい。

　政治家というのは気の毒である。どんなに魅力を持とうと、持てば持つほどそれはやがて危険と紙ひと重のものになっていくからだ。

女のデビュー

本当に選挙というのはよくわからない。

先週まで、世の中が小泉さんの解散記者会見でおおいに盛り上がっていると思っていたが、このところややシラケムードが漂い始めた。

選挙をうんと面白くしてくれるはずだったホリエモンもどうも旗色が悪い。頭がいいんだから、テレビに出る時は郵政関係の数字ちゃんと暗記してなくっちゃ。

自民党のみならず、女性候補者たちがあれこれ叩かれているのはお気の毒である。人間五十まで生きていれば、ちょっと叩かれるだけでそりゃあホコリも出ます。

私なんか万が一立候補したら、どんな怪文書が飛びかうかわからない。絶対に近づきたくない世界である。

それなのに安定した官僚や学者や、セレブの座から果敢に飛び込んでいく女性たちというのは、度胸のある人たちである。どうしてマスコミは意地悪なんだろう。男の候補者が、服のセンスやメイクの方法であれこれ言われるだろうか。夫婦仲はどうか、ちゃんと配偶者に尽くしているか、などということで採点されるだろうか。この国の男というのは、「緒方貞子さん」以外の女性は認めようとしない。とにかく女が、政治という場に近づこうとしているだけで嫌なのだ。それだけで権力が好きな女ということになってしまう。

男は、男が権力が好きなのはあたり前だと思っているが、女がそんなそぶりを見せようものなら容赦はしない。だから女性候補たちもエクスキューズを出す。

「党の幹部の人たちから、しつこく電話がかかってきて、熱心に口説かれました」

自分から手を挙げて、立候補させてくださいとお願いしました、と言う女性がほとんどいないのは残念だ。

さて、話は全く変わるようであるが、芸者さんの話である。

つい最近のこと、京都の知り合いから誘われて食事をした。その席に大阪の女性社長がいた。まだ若くて三十八歳だという。この女性が、なんと京都から芸妓さんを連れてきていたのである。

こんな豪気な女性を見たことはない。京都から東京まで芸妓さんや舞妓さんを連れてくると、花代がものすごく高くつくはずだ。彼女は別に芸妓さんをパーティーに出したりするわけではなく、単に自分が上京する際、ご飯を一緒に食べたりするためだけに連れてきているのである。

お金もさることながら、お茶屋さんに顔がきかなくては、こういうことは出来ないだろうから、彼女はふだん、京都の花街で遊んでいるに違いない。

夏衣姿の、若く美しい芸妓さんに聞いたところ、

「へぇ、そうどす。うち○○さんと遊ぶの大好き」

という返事があった。

私もお金があったら、こんなことをしてみたいなあ。

瀬戸内寂聴先生は「女徳」や「京まんだら」といった花街を舞台にした小説を書く時、お座敷代を全部自前で払われたことで有名である。

「出版社のお金でたまにお座敷に行く人間に、誰が本当のことを話すもんですか。私は自分のお金でとことん座敷通いしたから、みんなやっと心を開いてくれたのよ」

などと書かれたエッセイを読むたび、さすがと思うが、私にはもちろんこんな度胸もお金もない。ところが芸者さんに友だちはいる。

何日か前、新橋の若い芸者さんから手紙をいただいた。踊りのおさらい会をするので見に来てくれませんか、という内容である。生憎《あいにく》その日は先約があったので、チケットを送り返す時に、心ばかりのお祝いを包んだ。そうしたら、ものすごい達筆のお礼状が

届いたのである。

私はうなった。今どきの二十代の女性で、こんな見事な毛筆の手紙を書ける人がいるであろうか。一流どころの芸者さんというのは、大変な教養の持ち主ばかりだ。彼女は確か大卒であるが、それよりも厳しい修業や上下関係が、女性を鍛えていくようである。

そして先週のこと、彼女の先輩の芸者さんからメールが入った。

「マリコさん、たまにはごはんを食べませんか」

あたり前のことであるが、私はめったに高級料亭など足を踏み入れない。たまに男の人に連れていってもらうぐらいであるが、一流どころの芸者さんはたいてい本好きであるから、女の作家をわりと珍しがって親切にしてくれるのである。

彼女と待ち合わせて、銀座の小料理屋さんへ行った。涼やかな織の着物を着た彼女は本当に綺麗。ビールを頼み、冷酒を飲んだ。話がやたらはずむ。

何といおうか、政財界の人たちを相手にしている彼女たちは、どんな話題もオールマイティという感じ。こんなに楽しませてもらったのに、

「このあいだのイタリアン、マリコさんにおごってもらったから」

とご馳走してくれたのには恐縮してしまう。

美しくて洗練されていて、気っぷがいい芸者さん。

女の政治家と芸者さんとは似たところがある。どちらも自分の才覚と魅力で、人を惹《ひ》

きつける仕事だ。しかし私は政治家になりたいと思ったことは一度もないが、芸者さんには激しく憧れる。年齢と器量が許されるのなら、明日からでもなりたいと本気で願っている。

「私、踊りはちょっと出来るし、着物はうんと持ってるからダメかなあ……」

と言ったところ、興味深い話を聞いた。芸者さんを志望する若い女性が増えていて、いまも早稲田の女子学生がどうしてもと彼女に言ってきているそうだ。業界活性化につながりそうないい話である。

政治の場にデビューしようとする女性たちも、温かい目で迎えられればいいのだが。

本当になり手がいなくなるのではと、本気で心配してしまう。

どこで暮らすんだ

今年ぐらい九月一日の防災の日が、リアリティを持って報じられたこともないような気がする。いつものように、単なる記念日だから特番をつくりました、という感じではない。

政府の上の方では、もう確実な情報を摑《つか》んでいて、

「パニックが起きるから、国民には徐々に危機感を持たせるように」

というお達しがあったのではないかと勘ぐるほどだ。

いったいみんなどうするつもりなんだ。これから先、何年か、いや何日間か、こんなにビクビクしながら暮らすのであろうか。Ｍ７が起こった時、たぶん私は恐怖にひきつりながらも、

「ああ、これでいつ地震に遭うんだろう、という恐怖から逃れられる」

という安堵《あんど》の気持ちがよぎるような気がする。

今、さまざまなマニュアル本が出され、家の家具はこう固定しろ、避難グッズをこう揃えろ、と教えてくれる。しかし家にいる時に地震が起こった場合、圧死から逃れればなんとかなるだろう。自分の家で、家族が一緒なら心強い。

いちばん想像したくないのは、街でひとりでいる場合だ。先日の地震の時はタクシーに乗っていて、運転手さんが気づいた。

「お客さん、地震です。これはちょっと大きい。ほら、こんなに揺れてるでしょ」

信号で停まった車が上下に激しく動いたので、あの時は生きた心地がしなかった。私はよく地下鉄に乗るので、車内に閉じ込められる、なんていうのも考えられる……。

あー、いやだ、いやだ、そんなことばっかり考えてこれから先、東京で生きていくなんて。いっそのこと海外に移住するのはどうだろう。ハワイは地震が来そうもない。いや、それならばいっそ西部を除いたメインランドにしようか……などとぼんやり想像していたら、今度のハリケーン騒動である。

なんだか地球規模で異常事態が起こっているようだ。

それにしても、被災地のニュースを見ていて、いちばん嫌だったのは商店が次々と略奪されていく光景であった。災害の大きさに胸を痛める時とは違うもので心が冷えていく。人間の醜さがむき出しになったら、本当に怖しいことになるはずだ。

阪神大震災の時、被災者の人たちが次の朝、コンビニに列をつくった。あのシーンは海外のメディアでも大きく取り上げられ、いろんな国の人が感動したようだ。カナダに住んでいた友人は後に言った。

「あの時は日本人であることが誇らしかったね。ふつうだったら略奪が起きても不思議ではない状況なのに、苦しみにじっと耐えルールを守るのが、日本人だってね」

その時はピンとこなかったのであるが、商店から次々と商品を運び出すアメリカ人を見ていると、なるほど日本人が特殊だったのだと思う。が、今度地震が起こったらわからない。あれから十年、人の心も変わってしまった。被災地東京が無法地帯にならないと誰が言えようか……。

そんなことを考えると次第にめげていく私である。そして最近お気に入りの本を、まためくってみる。田丸公美子さんというイタリア語の通訳の人が書いた「シモネッタのデカメロン」という本は、何度読み直しても声をたてて笑ってしまう。イタリア人の男性が、いかに女好きで、そのことばかり考えているかという本である。

田丸さんによると、「いまだかつてイタリアで酔っぱらいというものを見たことがない」。あれだけ享楽的な彼らが、二日酔いするほど飲まないのは、

「理由はただ一つ。酔いつぶれては女性と楽しむことができないからだ」

と田丸さんは言う。とにかくイタリア男は人生の第一は女性を愛することと考えてい

る。会社でセクハラしないなんて、それこそセクハラだと本気で思っている。あの手、この手、それこそ全知能、全精力を傾けて女性を口説いてくるらしい。中でも圧巻なのが、イタリア人の夏休みについてである。学校が三ケ月の長い休みとなるので、ちょっとした家では母子がバカンスに出かける。山や海の別荘を借り、週末だけ父親が会いにくるというパターンが多いらしい。そうすると父親の方は、「街に残っている独身の秘書やOLと心ゆくまで浮気」することになる。田丸さんの弁によるとこれは国民的行事で、「女房のいない七月、アバンチュールのお相手は」というアンケートが毎夏実施されるというから驚きだ。続きはまだあって、

「そして妻のほうも、子供を寝かせつけた後のリゾート地で、大学生や高校生に性の手ほどきをするという大事な役目に励むのである」

ホンマかいな。

この本があまりにも面白かったので、友人何人か（四十代、五十代）に読ませたところ、みんな私と同じことを考えた。

「私もこれからイタリア語を習ってイタリア行こうかな。年増も大切にしてくれる本当にいい国みたい」

「そうよねぇ、ヨーロッパの文化って奥が深いわよねぇ」

したり顔で頷く私。

「フランスでは、今でもカトリーヌ・ドヌーブが人気投票一位だものね。年齢と共に女性が実り多くなっていくのを、ちゃんと理解する国なのよ。私、イタリアもいいけど、将来はフランスに住みたいわ」

という決意をおとといマサトさんに話した。彼はパリで有名なカリスマ美容師だ。三ケ月に一度、一週間だけ日本に滞在して何人かの髪を切って慌《あわただ》しくパリへ帰っていく。

「えー、そんなことないよ。フランス人だってやっぱり若い女の子が好きだよ。年増がモテるなんて絶対に嘘」

マサトさんは言う。

「僕の友だちもみんな愛人は若いコばっかりだよ、年増がいいなんて聞いたことがない」

やっぱり私は、いつ地震が起きるかわからぬ、若い女しか大事にしないこの国で生きていくしかないのかと、しみじみ思った秋であった。

女房自慢

先週号の「週刊文春」をめくっていたら、

「あっ、こんな人もいた！　懐かしの落選候補者たち」

という企画があった。

そうかあ、ガッツ石松さんも九六年の衆院選に出ていたんだっけと感慨深い。今の人気だったら当選したかもしれないのに残念であった。

意外だったのが見城美枝子さんである、落ちていたとは知らなかった。知名度もあるし、確かどこかの教授だし、今回の自民党女性候補にはぴったりだったのではなかろうか。

ところで、官僚をよく知っているわけではないが、最近ハンサムな方々というのは、とても増えているような気がする。そしてこういうイケメン官僚が、お金持ちや名家のお嬢さま、政治家の娘と結婚すると、高い確率で選挙にうって出る。ものすごくわかりやすい。

官僚というエリート意識に、ハンサムという特典が加わると、野心がむくむく芽生えるようである。

「でもああいうのって、イヤじゃないのかな、奥さんの実家がお金持ちだったり、有名だったりすると、世間からいろいろ言われるんじゃないかしら」

とやはり官僚の友人に言ったところ、

「あのな、男が欲しいのは小銭なんや」

と関西出身の彼は、非常にわかりやすい言葉で説明してくれる。

「女房の実家が金持ちだとな、家族で行く旅行とか、子どもの学校の費用とかは出してくれる。だけど男が欲しいのはそんな公の金やないんや。ちょっとギャンブルする金とか、女と遊ぶ金なんや。だけどそんなもんは女房の実家は出してくれんから、いくら金持ちの娘と結婚しても仕方ない」

そうである。だったらお金持ちのお嬢さまと結婚するメリットは、どんなところにあるのだろうか。

「やっぱり上品で綺麗なところに惹かれるんと違《ちゃ》う？　男は何だかんだ言っても、そういう女が好きだからね」

私と親しい友人の奥さんは、地方のゼネコンの社長令嬢で、ものすごいお金持ちらしい。しかも美人だということだ。

「ハヤシさん、地方、ゼネコン、金持ち、美人、この四つが揃ったら、ものすごく気の強い女になります」

よくわけのわからないことを言う。

「ゼネコンの娘って、荒っぽい現場を見てますからね、亭主をひっぱたくなんてどうってことないんですよ」

などと言うが、やはり奥さんが自慢のようだ。はっきりと何度も「美人だ」と口にする。人によると華やかな美女らしい。

日本の男というのは、めったに女房自慢をしないが、するとしたらたいてい美女自慢と実家自慢の二つに分かれるようだ。奥さんの実家を口にする人というのは結構いる。

会話の合い間に、

「うちの女房の実家は、ほら、〇〇ですから」

とさりげなくはさむ人がいる。有名な企業や人物だ。

「へー、すごいですねー」

「いや、どうってことないけれども、正月や法事、なんていう時に結構ややこしいことがあるかな。なにしろ一族の結束が固いんだ」

こういう会話はそんなに嫌いじゃない。男の人の観察眼で、名家のありさまを垣間見るのは面白いものだ。女性の「主人の実家がどーの、こーの」よりもはるかに聞きやすい。

少し前のことになるが、友人宅のホームパーティーに出かけた。十人ほどでテーブルを囲み、私の前に中年のご夫婦が座った。ご主人は美人の奥さんがとても自慢の様子で、どんなところにも連れてくるらしい。お金持ちらしく、奥さんは素敵な服に身をつつみ、髪は美容院から直行したてのようなウェイブがついている。まるで「家庭画報」のグラビアから抜け出してきたようなセンスのよさだ。

しかし私は次第に落ち着かなくなってきた。その奥さんの顔が、あまりにもミエミエの美容整形だったからである。リフティングをしている人独得の表情に加え、ぱっちりとした二重《ふたえ》も不自然である。お金があるはずなのに、どうしてこんなにもヘタなわかりやすい整形をしたのだろうかと、私は奥さんの顔から目が離せなくなった。

しかし旦那の方は、夫人が可愛くてたまらないようで、発言する夫人の横顔をじっと見つめ、声をたてて笑う。

私の中で大きな疑問がわいてきた。

「こんなに整形をばっちりしていても、やっぱり美人の奥さんが自慢なんだろうか……」

これは私にとって、生まれて初めて生じる疑問である。うーん、外見が変わっても愛には変わりないということか。いや、これだけ妻に金を遣ってやった自分が得意な気分なのか。

さて話は全然変わるようであるが、都内某所のホテルへ行ったところ、大変な人出である。ホテルの前の車道まで人があふれている。ヨン様が来日していらっしゃるのだ。韓流が全盛の時はそうでもなかったのに、このところちょっと落ちめになると「代表」のヨン様の悪口が大っぴらに言われるようになった。今朝もワイドショーで、

「どこがいいのかわからない」

とコメントする人がいたが、それと同じことを一年前に言えた？　あの時は投書や電話が殺到するのを怖がってたくせに。

私は以前から、ヨン様の追っかけをするのは、「幸福な主婦」の証と書いてきた。行列している人もみんな身なりがよく、どことなしにおっとりしている。テレビを見ていたら、奥さんと一緒にイベント会場に来ていた夫が言う。

「もうヨン様に女房を取られたようなもんです。たまりませんワ」

言葉とは裏腹にニコニコと嬉しそう。ヨン様を追っていく女房がいとおしくてたまらないようだ。そうか「ヨン妻自慢」というのも新しいジャンルだな。中年夫婦の理想の姿ではないかと私は思う。

ドラマがいっぱい

今度の選挙のことを、いろんな人がいろんな風に書いている。

私が中でもいちばん言い得て妙だと思ったのは、

「ちゃぶ台をひっくり返した人に、日本人は弱い」

という編集者の言葉である。

「なるほどねえ、小泉さんは星一徹だったのか……」

私のまわりの人たちはしみじみと言う。

もうちょっと若い人だと、

「小泉さんは寺内貫太郎っていうわけか」

今から十年以上も前のこと、私は週刊誌に、選挙をテーマにした連載小説を書くことにした。架空の街での、市長選をめぐる家族の物語である。そのために秋田の田舎へ町長選を見に行った。膝までずぶずぶと雪の中に入るような道も歩いた。各選挙事務所で図々しくお握りやうどんをいただいたが、そのおいしかったことは今でも忘れられない。もうひとつ忘れられないことがある。お金で雇われ、全国を渡り歩くプロの選挙参謀がこう言ったのだ。

「選挙前の十日間には、人生が五つ分詰まっている」

なるほどなぁ、今度の選挙を見ているとつくづくそう思う。佐藤ゆかりさんなど、十日間であっという間に超有名人になったし、ホリエモンも意外なほど多くの票を集めた。このホリエモン、新聞の記事によると、選挙の最後に涙ぐんでいたそうだ。彼が出馬した理由は今もよくわからない。自社の株が上がればいいと思っていたのか、それとも単に出たがり屋だったのかもしれない。とにかく世の中に怖いものなど何ひとつなさそうな、ゴーマン不思議人種の彼が、自分の集会に来てくれた一千人の聴衆を見て感極まったというのだ。面白半分に出馬したにもかかわらず（たぶん）、こんな真剣に、自分に無償の愛を捧げてくれる善意の人々を見て、あのホリエモンが泣いたのだ。

「もう一度、ここで選挙をやります」

と言ったというが、これはまさにドラマではないか！　山田洋次さんなんかが、しみじみとしたいい映画をつくってくれそうだ。今のテレビドラマだと、やる気のなかった男の子たちが本気になる「ウォーターボーイズ」の世界だな。

鈴木宗男さんとあのお嬢さんもいい感じである。久しぶりに見たら鈴木さんの顔がまるっきり違っていたのに驚いた。とても穏やかな田舎のおじさんの顔になっていたのだ。これは話題の映画「シンデレラマン」にしよう。

そう、そう、野田聖子さんが当選が決まった後、テレビの中継で武部幹事長とのやりとりが、とても面白かった。アナウンサーが、

「武部さん、野田さんに何かひと言ありますか」

と声をかけると、

「よく頑張りましたね」

だって。この後、

「あなたは自民党のホープだったのに」

とちょっと過去形の嫌味をおっしゃったが、この「よく頑張りましたね」の声は、やさしくて人間味に溢れていてなかなかよいものであった。自分に反抗して退学した生徒が、頑張って超難関校に入り、それを密かに喜んでいる校長先生に似ていた。うーん、学園ものではないが「ショムニ」に似たようなシーンがあったような気がする。

ところで野田聖子ちゃんといえば、私にもいろんなことがあったワ。そもそも彼女とは古いつき合いである。九年前から「不機嫌な会」という二ケ月に一度ぐらい楽しくご飯を食べる会をつくっていた。メンバーの六人の中には総理になる前の小泉さんもいら

した。総理になってからも時々参加されたぐらいだ。

しかし政治の世界にはいろんなことがある。ご存知のように野田さんは、自民党を離れて出馬することになった。例の刺客を送られ、大変な苦戦だという。メールでやりとりしているうち、「応援に行くよ」ということになった。私はちゃぶ台をひっくり返した小泉さんを支持したが、野田さんも大切な友人である。応援に行くことに何のためらいもなかった。

しかし私という人間は、つくづくついていない。間が悪いことがしょっちゅう起こる。野田さんの決起大会で三分ほどスピーチすることになった。こっそり行ってこっそり帰れば、どうということもなかった話である。

が、私は新幹線の同じグリーン車の中、デヴィ夫人を発見する。

「まさか、そんなことが!」

たった今手にしていた週刊誌に、デヴィ夫人が会ったことがない佐藤ゆかりさんに、ぜひ応援に行きたいと申し出たと書いてあったのだ。

私はこっそりと車輛から降りた。恋人アラン氏と一緒の夫人には、ホームからワイドショーのカメラがまわっていた。まずいなあ、これはまずい。デヴィ夫人が来るというので、あちら側はワイドショーやスポーツ紙を呼んでいるはずだ。ふつうならどうということもない私の来訪なのに、今日来たばっかりにいろいろ書かれるだろうなあと思ったら、案の定、スポーツ紙には「デヴィ夫人vs.林真理子」とでかでか書き立てられた。ワイドショーにもいっぱい取り上げられたみたいで、みなにいろんなことを言われた。この間の悪さといおうか、ついていない感というのは、ずうっと私につきまとっているものである。これは図々しいが「ブリジット・ジョーンズの日記」でいこうか……。

小泉劇場といわれたとおり、今度の選挙はドラマや映画になりそうなネタがいっぱい。そしてささやかながら私も参加してしまった。この劇場、本当に大変そう。マスコミはずっと意地悪だし、投票した人々自身が、「これって勝ち過ぎ。まずいんじゃない」と言い始めている。私もそう思う。こんなに面白くっていいんだろうか。選挙は面白かったが、終わってみれば頼りなく、つまんないシロウトさんたちが国会に入っていく。

大人買い

初登院の時の、佐藤ゆかり議員の人気たるやすさまじかった。マスコミの人たちが、それこそ殺気立って群がっていたっけ。

そして今日、写真週刊誌を見ていたら、佐藤さんの胸元に、何かひっかいたような跡が見えると、わざわざ望遠で撮って載せていた。なんだか新しいセックスシンボルの登場という感じである。

どうでもいいことを騒ぎ立てて、みなの興味をそそるこの手法、つい最近どこかで見たと思ったら、そお、スイカップ嬢ではないか。佐藤議員とスイカップ嬢、非常に共通点が多い。

①知的である。（スイカップ嬢も一応、地方局のキャスターだ）

②芸能人ではない。（スイカップ嬢は、あの事件がきっかけで東京のプロダクションに

入ったが）
③もちろん美人。
④不倫という勲章を持っている。
が、二人ともそんなことはおくびにも出さず、徹底的にシラを切り通している。つまり、そんなことをしそうもない知的な、しっかりしている美人が、裏では不倫やいろいろしているらしい、というのが男の人にとってはたまらなく魅力的なのであろう。

「ふだんはきちんとしていて、ベッドの上では乱れる女」

というのが、ずっとこのかた、この国の男性の多くの好むところなのだ。それにしても、あれほど騒がれたスイカップ嬢は、いったいどこへいったのだろうか。

最近「ちょいと小悪魔」が時代のキイワードになりつつあるようだから、もうちょっと踏みとどまっていればよかったのにね。

そういえば急に浮上した言葉に「大人買い」がある。セット買いをしたり、色違いをみんな買ったりする人のことだという。この言葉を耳にした時、これは私のことだと思った。何年か前「片づけられない症候群」という言葉を見つけた時以来の驚きだ。

私は既にとっくの昔から、ずっと大人買いをしていたのである。
①作家の全集ものをすぐ揃える。
②洋服に迷ったらどちらも買う。

③コミックも、まず全巻買ってしまう。

④シーズンごと、洋服はラック買いする。

①については、全集を買い過ぎて棚に置けず、そのへんにころがしてある。②と④に関しては本当にバカなことばかりしてきた。もうかなり前、金沢の友禅作家の方のところへ行った時の事だ。その方は最新の自信作を見せてくださった。オーキッド、梅、そして単衣のホタルブクロ……。それはそれは見事な筆さばきで、みんな欲しくなった。

梅の着物は初春に活躍しそうであるが、季節をとても限定する。だったら洋花のオーキッドの方が着やすいのではないだろうか。しかし夏にしか着られない単衣のホタルブクロも本当に素敵。

迷った揚句《あげく》、私はいったいどうしたかというと、

「三枚ください」

と言ってしまったのである。あれから十年以上たっているが、未だにホタルブクロの単衣を着たことがない。

「のだめカンタービレ」「ドラゴン桜」といったコミックは、本屋にある巻すべてを買う。先日は落語にとり組もうと思った。

「ハヤシさん、落語は聞いといた方がいいよ、現代人のたしなみだよ。それにハヤシさ

んみたいな仕事していると、間のとり方が勉強になるよ」

　ということで、志ん生さんのDVDを全巻揃えた。が、これは失敗であった。未だに一巻たりとも見ていない。

　ヴィスコンティ監督作品のDVDも全巻通販で買ったが、まだ封も切っていない。

　この「大人買い」という言葉、この頃やたら目にする。ものの本によると、

「子どもの頃、親にあまりモノを買ってもらわなかった」

　のが原因だという。

　が、わが家はビンボーであったが、欲しいモノを買ってもらえなかったということはない。それに昔の子どもは欲望が希薄なうえに情報がないから、欲しいものもタカがしれている。

　そんな幼少期のトラウマよりも「大人買い」の最大の原因は、

「また買いにくるのがめんどうくさい」

　これに尽きるような気がする。

　そんなに期待しないで買ったコミック本が非常に面白く、買ったものをすべて読み終えた時の禁断症状といったらない。外は夜中だ。

「七、巻、七巻……」

　うわごとのように言う。どうしてもうちょっと買わなかったのかと歯ぎしりする。が、

こういうことを何度も繰り返した結果、コミック本は全巻買ってしまうのだ。

おそらくこういう大雑把《おおざっぱ》な人たちは、試着も嫌いに違いない。私も大嫌いだ。洋服をいろいろ脱ぐのもめんどうくさいし、サイズのことであれこれ言われるのもイヤな感じ。

川原亜矢子さんと対談した折、こうおっしゃっていた。

「私はジャージを買う時も、ピン打ちしてもらいます」

本当に頭のいいおしゃれな人はそうなんだろうな。

さて、私は今すごく悩んでる。四年前、不動産屋さんが、軽井沢の別荘を買いませんかと、東京の私のところへ電話をかけてきた。有名な文学者がこよなく愛した旧軽の一等地。値段を聞いたら、卒倒したくなるほどであった。家のローンもたっぷり残っていたので即お断わりした。

結局別の人が買われたのだが、外国生活が多いので使うことなくまた売りに出されるという。そして再び私のところへ。運命を感じる。が、私の経済状態は、「運命」なんて何も感じなかった。長年の大人買いのためお金がない。半分でも売ってくれるらしいから、そのまた半分にしたら、私でも買えるかもしれない。いや、その半分かな。こういうのって、子ども買いになるのかもしれない。

本がカワイソー

もうじき読書週間がやってくる。

私たち作家にとっては、やーな季節である。好きな作家や作品のアンケートをしたり、評論家と言われる人たちが、ああだ、こうだといろんなことを言う。とてもエラそうだ。

おまけに、有名人というのは「好きな小説」と問われて、わざとハズす。あのハズし方はとても不愉快である。インテリの女性ほど、「赤毛のアン」やコミックを挙げるし、タレント本の名を出して、ウケを狙おうとする男性もいる。まあ、無難なところで古典だ。

ちょっと前、本好きで有名だという、若い女性タレントさんにお会いしたことがある。

「どんな本がお好きなの」

と尋ねたところ、

「太宰治とか、芥川龍之介とか……」

という答えがあった。太宰治も芥川龍之介も偉大な作家であるが、今の若い人だったら別の答えがあるような気がする。これ以外にもいろんなことがあって、

「芸能人の本好き」

というのをあまり信用しないようになった。そりゃ、そうでしょう。青春時代に、本にのめり込むには暗い部分が必要である。まずひとりにならなくてはならない。ひとりになるためには、あまりモテる容姿であってはならないのである。

おそらく子どもの頃から美しい外見を持ち、ちやほやされていただろう方々が、そんな時間を持てていただろうか。現在にしても、かなり忙しいに違いないし、売れっ子の芸能人なら、他に楽しいことがいっぱいあるはずだ。だから私は、

「読書が趣味です」

などという芸能人を見るたびに、本当かナァ……、と思っていたのであるが、ある時考えを変えた。ジャニーズ事務所の、今をときめく若い俳優さんとラジオで対談した時だ。私があげた本をすべてお読みになっていたのである。それも外国のわりと通っぽい本ばかりだ。

「ごめんなさい。失礼しました」

と私は偏見を捨てた。それにしても、あんなハンサムな青年がひとり、ツヴァイクな

んか読んでるなんて、ぞくぞくするような光景ではないか。

私は長いこと、子どものための読書感想文コンクールの審査員をしていた。その授賞式のスピーチで言ったことがある。

「本をたくさん読んだからって、そんなに頭がよくなるわけでも、立派な人になるわけでもありませんよ（私を見なさい）。だけど読書というのは、ひとりでしていて唯一みじめでない行為です。あなたたちが本を手に持っていたら、もうひとりでいることも、長く待たされることも少しも苦にならなくなる。端《はた》から見ていても、ひとりで本を読んでいる人は本当にカッコいい。本を読む習慣を持つことは、ひとりでいることの焦りや孤独から救われるっていうことなんです」

今、私の知っている限り、いちばんの読書家は私の父である。

今年九十歳になる父は、二年前に大病をした。病気は治ったのであるが、トイレや入浴といったことがおぼつかない。田舎の家には同い齢の母がひとりいるだけだ。そんなわけで別の病院にそのまま入院してもらうことにした。

父は呆けてもおらず、頭がしっかりしているため、

「どうして家に帰れないんだ」

とかなり怒っていたが、長い休みは私たちが家に帰りめんどうをみるようにしたため、最近は渋々納得しているようだ。

その替わり、猛烈に本を読むようになった。見舞いに行くたびに言う。

「菓子はいいから本をくれ。本がいちばん嬉しい」

「文藝春秋」「週刊文春」はもちろん、私が読んだ後の「新潮45」「オール讀物」「小説新潮」「小説現代」「小説すばる」「野性時代」「トリッパー」「小説宝石」「文藝ポスト」「文學界」「新潮」を持っていくと大喜びだ。隅から隅までちゃんと読んでいるようで、

「今度の直木賞は面白かった」

と感想を言う。

私には寄贈本や買ったものもたくさんあるので、それは宅配便で送る。最近では辻井喬さんの「父の肖像」、佐野眞一さんの「阿片王 満州の夜と霧」という大作もちゃんと読んだようだ。誰かの「三国志」も全巻読破したと自慢している。

私の知っている若い時の父というのは、本などよりずっとパチンコやマージャンが好きだったから、この変化にはちょっと驚いている。

反対に本から次第に遠ざかっていくのが母である。母のことは小説に書き、一昨年はNHKドラマにもなったからご存知の方もいると思うが、「赤い鳥」から始まった熱烈な文学少女である。本や作家を愛するあまり、戦後は本屋になったぐらいだ。

その母がつくづく言う。

「年をとったら本を読んで暮らそうと思ったけれど、目も体ももう駄目だ。本を読むの

が本当につらくて何ページももたない」

眼鏡をかけ文庫本まで読んでいる父とはえらい違いである。母はさらに言う。

「ああ、もっと本を読んでおけばよかったと思うけれど、もう仕方がない。晴耕雨読なんていう言葉は本当に嘘だわね。耕すのも体力がいるけど、読むのはもっと体力がいるものねぇ」

なるほどと、老眼の始まった娘は深く頷くのである。

ところで父の病院から、本がどさっと返ってくる。毎日のように見舞ってくれる従姉《いとこ》が新しいものを届け、古いものを持って帰ってくるのだ。「元本屋のおばさん」は、これらの本を決して捨てない。おかげで居間も廊下も本で埋まっていく。すごい勢いで本に占領されていく。古紙回収に持っていってもらったらと言ったら、

「とんでもない。本を捨てるなんて」

と血相を変えて怒られた。

「でも今どき、本をもらって読もうなんて人誰もいないよ」

と言った後、さすがに淋しくなった。今どきの本は本当にかわいそう……。

トラの日々

秋の訪れと共に、新しいダイエットに挑戦している私。

「もういいかげんに諦めたらどうだ」

と、まわりの人たちは言うけれども、決して私はそんなことはしない。

この春、私はとてもつらく暗い日々を送っていた。ダイエットを一時休止していたら、ぶくぶく太ってきたのである。顔も体もだらしない線を描くようになった。こう見えても私、女性誌のグラビアに出ることが多い。が、ヘアメイクやスタイリストの方々が一生懸命やってくれても、そこに写っているのは二重顎のおばちゃんである。

「こんなはずはない。写真の撮り方が悪いんじゃないのッ」

とゴネたら、どうしたと思います。パソコンで顎を削って、写真の私をシャープなラインにしてくれたのである。その線のすごさは、見ている本人をして赤面させた。

「自分がデブになっただけだろ。バカヤロー」

というカメラマンの抗議の声を聞いたような気がする……反省。

そして私はこの三ケ月というもの、ずーっと顔筋《がんきん》小顔マッサージをしていた。ものすごい力を入れて顔をつり上げ、次にリンパ腺に沿って流していく、というやり方だ。これをやると上がる、なんていうもんじゃない。

考案者の先生のところで、この顔筋マッサージをしてもらい、ついでにメイクをしてもらった後、書評インタビュー用の写真を撮った。その写真がまるで別人のようなのだ。頬も目もきりりと上がり、顎のラインもすっきりしている。そう大きくはない写真なのに、その雑誌が出た後の反響はすさまじかった。メールが十本以上送られてきたぐらいだ。

「いったいどうしたのよ。ついにお直ししたの」

という質問が多い。〝お直し〟というのは整形手術のことだ。そのくらい変わったらしい。

今月も某女性誌のグラビアに大きく出ているが、その先生のマッサージ、メイク後なので、本人が見ても「やり過ぎだ」と思うほどの変わりようだ。全くの別人である。

私はとても先生のようなテクニックを持てないが、とにかく毎日この「顔筋小顔マッサージ」を自分でしている。どんなに忙しくても、朝の十五分のマッサージは欠かさない。クリームをたっぷり使い、手順に従って顔のツボを押していく。

「女優さんでも、こんなに熱心な人はいないわ」

先生も誉めてくれたぐらいだ。

そしてこれとほぼ同時に、中国ハリも始めた私。一ケ月で十キロ痩せるということで、大変な人気のクリニックである。私もその日を夢みて、毎日のように通っているのであるが、ハリが本当に痛い。

「ギェーッ、ここはＳＭの館かー」

と騒いだことも一度や二度ではない。

おまけに食事制限のきついことといったら……。あれもこれも食べられなくなって、今、私が口にしているのは、水と少量の野菜だけだ。

すぐに五キロ痩せたが、その後、ヘルスメーターはあまり動かない。あたり前だ。会食が何回か入っていて、フレンチや中華を食べていたからである。その後心を入れ替えて、まるで小鳥のような食事にしたが、かなりつらい。そういえばこの治療院のことを紹介していた記事に、

「意志の固い人におすすめ」

とあった。私のように意志の弱い者はどうしたらいいんだろう。ハリは痛いし、ひもじい。もうやめようかナー、と思ったら、その心を見透かされたように、中国人の院長

に言われた。

「トーゴーさん（ふだん使っている、私の本名です）、トラからは降りられないよ」

中国のことわざにあるらしい。大きなことを始めたら、途中でやめることは出来ないということのようだ。

日本にも「乗りかかった舟」という言葉がある。

「わかりました。私、先生と心中するつもりになります」

と、私も中国にふさわしい大きな言葉でお答えした。

中国といえば、先日某中華料理店のマダムとお会いしたら、お菓子をひと箱くださった。

「これ、中秋の時にだけつくる月餅《げっぺい》」

「知ってるーッ、ずうーっと探してたの」

もう十数年前、香港から帰ってきたばかりの友人から、この月餅を貰ったことがある。塩漬けの玉子が入っている珍しいものだ。その味が忘れられず、中華街などで聞いても、

「時期でないとつくらない」

ということであった。あの幻の月餅をようやく手に入れたのである。山梨に帰った際、親や親戚に一個ずつあげた。五個あったので、私の手元に一個残った。ほんの三ミリほど切って口に入れる。とてもおいしい。今度は五ミリほど切ってみた。そんなことをし

ているうちに半分口にしてしまった。かなりの大きさの半分だ。

それをきっかけに「爆発」が起こり、この後何をどのくらい食べたかは、怖しくてとても書けない。次の日、体重計にのったら、〇・七キロ増えていた。情けなくて涙が出そう。

あちらの世界からは、無数のおばちゃんたちが手招きしている。

「もうジタバタしないで、こっちへいらっしゃいよ。こっちはラクで楽しいわよ、おいしいものを食べて気楽にやりましょうよ」

そして私は、パソコンで削ってもらった私の顎の線と、中国人の先生の言葉を思い出すのである。

「トラからは降りられないよ」

仕事もトラであるが、中年の女が、毎回心を定めて通うダイエットも、大トラである。

私の人生って、いつもトラを追い求めてきたような気がする。

出張授業

文化人と呼ばれる人たちの団体「エンジン01文化戦略会議」のことは何度か書いてきた。

私はそこの分科会、教育委員会の委員長をやっている。この委員会、使いっ走りの委員長はともかく、メンバーがすごい。杉並区立和田中の藤原和博校長、教育評論家で精神科医の和田秀樹さん、東大の船曳建夫教授、乙武洋匡君、森本敏さん、最近では陰山《かげやま》メソッドで有名な陰山英男先生も入会された。今の教育界のスターがずらり揃っている。

「単なる有名人の仲よし会にはしたくない」

という三枝成彰幹事長の下、活動も盛んである。月に一度は勉強会とミーティングを行ない、たくさんのゲストを招いてきた。特に熱心なのが各地の学校で行なう「出張授業」である。これは一見簡単そうであるが、実にむずかしい。それまで私たちは藤原校長のいる和田中で何度か授業を行なったのであるが、たいていの著名人がうちひしがれる。もう立ち上がれないぐらいになる。

藤原校長は事前にこう言った。

「世間じゃ、えらい人、有名人で通っていても、中学生から見たらタダのおじさん、おばさんだよ。彼らの心をつかむのは本当にむずかしいよ」

が、有名人たちはいつもの講演会の調子でやってしまう。一方的に延々と喋るのだが、子どもたちは聞きやしない。教室の中は全く無反応で白々とした空気が充ちてくるだけだ。初めて授業を持つ私に、藤原校長がアドバイスしてくれた。

「『本の帯をつくろう』っていうテーマでやったらどうかな。生徒たちにはあらかじめ本を読ませてつくらせておくよ」

ここでたくさんのことを学んだ。とにかく生徒たちを黙らせてはいけない。質問を次々と浴びせ、答えによってこちらも素早く反応しなくてはならない。明るい声でリズムにのり、生徒たちと一緒に面白がったり笑ったりする。

コツをつかんだ教育委員会のメンバーたちは、この出張授業に非常に意欲的になった。そして先週、私たちが一泊で出かけたところは福島県である。ここで十人のメンバーが五ケ所に分かれて出張授業を行なったのだ。もちろん無料である。しかもこういう際、メンバーは普通席で行くという取りきめがある。ふだんはグリーン車しか乗らないような方々には申しわけないが、とにかく普通の席にみんなで乗る。が、連休前の新幹線はすごく混んでいて、三人席の真中に座った私はかなりつらかった。両側から、かなりボリュームのある男性にはさまれる形になったのである……。

さて、私と三枝さんが組んで行ったのは、会津にある高校である。福島会津というのは不思議なところで、三枝さんに言わせると、「今の日本とは違う空気が流れている」。会津藩士を生んだ土地柄であるから、茶髪やピアスの高校生など街で見かけない。いるかもしれないが、ひっそりと棲息しているようだ。会った人々はきちんと折り目正しい方ばかりであった。

四年前、私と三枝さんはこの地を訪れている。この高校の校歌をつくるためであった。その時わかったのであるが、この地は東京から来た私たちからすれば信じられないほどの男尊女卑の風がある。泊まった旅館で、三枝さんと私の扱いがまるで違うのだ。三枝さんの部屋はずっと広くトイレもテレビもついている。私の部屋は何もなかった。フェミニストの三枝さんが部屋を替えてくれたところ、広い部屋からテレビが三枝さんの方へ移されてしまった。次の日の朝食は、お味噌汁もご飯も三枝さんが優先。見るに見かねた三枝さんが、

「女性を先にしてください」

と言ったところ、「えーっ」という表情をされたのを昨日のように憶えている。

その時つくった校歌を、一千人近い全校生徒が講堂で歌ってくれた。感動のあまり涙が出そうになった。私の歌詞はかなり長く、くどい部分があるが、三枝さんの素晴らしいメロディがすべてを救っている。こんな美しい校歌を聞いたことがないと思った。後に校長先生に、

「ちょっと歌詞が長くなかったですか……」

とお尋ねしたところ、

「野球の予選で勝った時、校歌を延々と歌えてとてもよかったです」

というやさしいお言葉であった。

さて、私たちの授業は教室でなく、講堂のステージで行なわれた。三枝さんが、

「僕の音楽の話だと、難解過ぎて高校生にはわかりづらいかも」

と言ったからである。将来の計画をどう立てるか、夢をどう達成するかという対談形式で話をしたところ、終わってからいちばん前に座っている女生徒から手が挙がった。とても可愛いコだ。

「私の夢は世界的なデザイナーになることなんですが、なれるでしょうか」

「日本で有名になれるかもしれないけど、世界的はムリ。だって世界的デザイナーなんてホモしかなれないもん。○○だって、○○だってホモなんだよ。ふつうの女はなれないよ」

三枝さんが突然とんでもないことを言い出し、純真な生徒たちの間で大きなどよめきが起こった。女生徒は「ウソーっ」と大声をあげ、先生たちは困った顔をしている。私は、

「三枝さん、そんな夜の六本木で話すようなことを言わなくても」

ととりなしたが、

「いいんだよ。今のうちに本当のことを知っておく方がいいんだ」

と涼しい顔である。そしてホコ先はなぜか私に向けられた。

「ハヤシさんって本当に変わってるよね。僕はハヤシさんぐらい変わってる人見たことないよ」

「三枝さんに言われたくないッ！　私はすごく常識的でふつうの人間だと思いますけど」

「変わってる人ほどそう言うんだよな……」

バトルが始まり出張授業が思わぬ方向に行ってしまったのである。しかし変わっているのは、やっぱり三枝さんの方だと思う。

お届けします

上野の文化会館へ行くついでに、アメ横へ行った。もうじきやってくるハローウィンのお菓子を買うためである。

私の住んでいる町は欧米の外国人が多く住んでいるためにハローウィンが非常に盛んで、十月三十一日ともなると、仮装した子どもたちが町内を練り歩く。

昨年はお菓子を配る人がおらず、買っておいたものをご近所の家に寄付する形をとった。

「君なんか町内のために何にもしてないんだから、こういう時こそ、パーッとポッキーぐらい配れ」

夫に言われたのは昨年のこの時。

そんなわけでポッキーを大量に買いにアメ横に来たのであるが、その変わり様に驚いた。昨年駄菓子を買った菓子問屋が消えているのだ。それどころではない。わずか一年の間に、食料品店が半分になったという感じ。その替わり目につくのが、靴と洋服の安売り店などである。おびただしい数のジャンパーが積まれた店先からは、よく知った東南アジアの市場のにおいがした。

が、歩けども歩けども、菓子屋が一軒もないではないか。人に尋ねたところ、

「そこを右に曲がったら、『○○の菓子』があるよ」

ということであった。

よくテレビのCMに出てくるお店は確かに大きい。いろんなお菓子が大安売りだ。しかし、ポッキーが見つからないのである。

「あの、ポッキーはどこですか」

「あっちの棚なんじゃねえの」

下町の店員さんの口調はかなりぞんざいで、正直ムッとした。よーし、六百個買って見せつけたる。

ポッキーは、ふつうの売場からちょっと離れたところで発見。人気商品ゆえに隔離されているらしい。さっそく一個持ちレジのところへ行く。

「これ、六百個くださいなッ！」

さっきの店員さんに胸を張り告げたところ、えーっ！　と大声を上げたのは、レジを

先に済ませていたおばさんであった。

「六百個も何にするのッ。学校で使うのッ」

「ハローウィンなんです」

「何なの、それ」

「子どものお祭りです」

「まあー、六百個なんて、いいお客さんがいたものねえー」

おばさんはしんから感心したような声をあげたのだが、店員さんはそうでもない。無表情。

「六百個も買うなんて、本当にすごいわー」

「いやぁー、年に一度のことですし……（小さい方のポッキーですし）」

などという会話が交されている最中も、店員さんは声を発しない。なんか、めんどうくさいなぁという感じが伝わってくるのである。

「これ、宅配で送ってくれませんか」

すると彼は言った。

「送ってもいいけど、送料がかかるよ、それでもいいの」

えーっと今度は私が声をあげた。いくら頑強な体つきをしているといっても、六百個の菓子をどうやって持ち帰れというのだろうか。

「それでも構いませんから、送ってください」

そして今日、ポッキーが届いた。大きなダンボールで四箱あった。着払いで千八百円だったそうである。この金額が多いか少ないか議論の分かれるところであろうが、私はやはり千八百円払っても運んでもらいたい方である。

山奥の温泉地へ行く。細い山道でも宅配の車がひっきりなしに通る。あれを見るたび、「人間がこんなにラクをさせてもらっているツケがいつかやってくるのでは」という思いにとらわれる。ちょっと前までかなりつらい思いをしても、土産は自分で運んだものだ。

などと言いながら、一般の家でうちぐらい宅配を利用するところもあまりないのではないかと思う。ほぼ一日おきにお願いする。

以前お話ししたように、寄贈本や買った本は、山梨の父のところへどさっと送る。毎月送られてくる女性誌等は、読み終わると若い友人のところへ送る。うちは一種の流通センターの観があり、季節になると地方の知り合いから特産物が届く。そのお礼と言ってはセコいが、もらいものの化粧品やちょっとした小物をお返しに送る。また、読者の方からいただきものをした時は、私の本にサインをして送る。

おとといのこと、ある方を招いて食事をした。支払いは当然のことながら招待者の私がしたのであるが、あらかじめそれを知っていたその方は、「お礼に」と言って、帰り際、ずっしりと重たい紙袋をくださった。中を見て思わず震えた。竹の籠《かご》と葉っぱの様子からして、どう見ても松茸なのである。その人は言う。

「うちももらったの。すごいお金持ちからのいただき物だから、中にぎっしり入ってると思うわ」

エビタイというのはこのことではないか。さっそく昨夜、松茸ご飯をつくったところ、夫は不服そうだ。食べることは食べたが、そう嬉しそうではない。

「オレ、あさって人間ドックだよ。キノコ類はなるべく控えてくれって言われてたんだ」

それではこの松茸はどうしたらいいんだ。籠の中には、まだ立派なものが五本ある。ハタケヤマに分けてやろうか。ご近所の知り合いに届けようか……。大げさではなく半日悩んだ。そして結論は、

「そうだ、山梨の従姉のところがいい」

こまめでやさしい従姉のことだ、松茸ご飯はうちの父や母の口にも届くことであろう。さっそく宅配の人をお願いした。従姉にも電話をする。

「えー、松茸！　本当。すごい、すごい」

宅配を呼ぶついでに、このあいだ届いたお菓子を、地方の友人のところへ。玄関がすっきりした。この達成感、この満足感、こんなに宅配が好きなのは私ぐらいかしらん。

傘の相性

「女心と秋の空」というのは使いふるされた言葉であるが、この頃よく雨が降る。今日は大丈夫かなと思うと、急に雲ゆきがおかしくなってくる。

そんなわけで折りたたみ傘を一本買った。ファッション誌の編集者に連れていってもらったサンプルセール（ものすごく安い）で、見つけたものである。

美容院に行こうとした時、何やら怪しい空になったので、さっそくその傘を持つ。時間ギリギリのためタクシーに乗る。が、ついていない時はついておらず、渋滞のうえに運転手さんが道を間違えた。

「そこで降ろしてください。もう歩きますから」

さっきから雨が降り出した。タクシーから降りたとたん、雨足が急に強くなった。折りたたみ傘を取り出す。が、ちっとも開かないではないか。最後には骨をひっぱり上げたが、ぴくりとも動かない。仕方なくたたんだままの折りたたみ傘を持って走り出した。道ゆく人たちは不思議そうな顔をしている。そりゃそうだ、どしゃぶりの雨の中、たたんだままの傘を持っている人もいないだろう。

びっしょり濡れて入ったら、美容院の人がタオルを貸してくれた。

「どういうわけか開かないのよッ。このバカッ傘」

邪慳に叩いた。ところが模様だと思っていたものがボタンで、押したとたん傘がパッと開いたのである。大層恥ずかしかった。これ以来、この傘は使っていない。最初の相性が悪かったのである。

そう、傘には相性というものがある。運命といってもいいかもしれない。だらしない私は、しょっちゅう傘を失くしてばかりいる。けれども七年間使った傘を持っていた。ついこのあいだまで。

誕生日に、ハタケヤマがいつもちょっとしたプレゼントをくれる。七年前はブランドものの傘であった。「カルバン・クライン」と大きくマークのある傘だ。せっかく彼女がくれたものだから、いつものように失くしてはいけないと思い、かなり気を遣った。

カフェや喫茶店で傘を置く時、私は可能な限りビニール袋をもらった。傘立てに無造作に置いて、誰かにもっていかれたらどうしようかと心配なのだ。

この「カルバン・クライン」は、忘れても届けられ、あるいは取りに行くとちゃんとあった。

「なんだか必ず私のところへ戻ってくるみたい」

と言ったものの、七年も同じ傘だとそろそろ飽きるなあと思った私。こんな気持ちを察したのか、「カルバン・クライン」は、ある日こつ然と姿を消した。電話であちこち問い合わせたけれどダメだった。

そして今、私といい関係にあるのが、丸ビルの中で買った「チェック」。細身のとても可憐な傘である。雨が降るとさして出かけるのであるが、困るのが微妙な時だ。私は男の人と同じで、傘を持つのが大嫌い。ほぼ憎んでいるといってもいいぐらいだ。そんなわけで「チェック」を持参せず、安物の折りたたみ傘にする。このように気を遣っているせいか、「カルバン・クライン」なき後、「チェック」は私の正妻になりつつある。

家出する気配は今のところない。

おとといのことである。朝、駅に着いたとたん、急に強い雨が降ってきた。傘を持ってこなかった私は、途中の売店で五百円傘を買った。ここの五百円傘は、ビニール傘と違って、折りたたみ式の立派なものである。デザインも豊富だ。店を出て二、三歩行ったところで知り合いの小学生に会う。グループから遅れてひとり登校する途中らしいが、地下鉄の駅から校門まで、子どもの足で二十分はかかるだろう。お嬢ちゃんの髪は既に雨に濡れている。

「おばちゃんが送っていってあげるから、こっちへいらっしゃい」

声をかけた。しばらく歩いてコンビニの前で、私は彼女に言った。

「この傘をさしていくのよ。返してくれるのはいつでもいいから」

「おばちゃん、ありがとう」

急に雨が降ってきても、子どもはコンビニ傘を買えない。大人はいつでも買える。私はそのまま、コンビニの売場へ行った。同じ五百円でもこっちは白いビニール傘だ。それを持ってひと駅歩く。

人とすれ違いながら、ビニール傘っていいナと思った。まわりの景色がよく見える。そしてこの軽快さがいい。朝から降っている雨なら、ビニール傘はちょっと悲しい。けれども途中から降り出した雨なら、ビニール傘でもチープな感じはしない。

そしてこの頃日課となっている中国ハリの治療院へ。終わって傘立てから、ビニール傘を取り出した。きっちり巻いてある。

「あら、私、こんなことしたかしら」

ずぼらな私がこんなことをするはずがない。この時気づけばよかったのだが、その傘を持ってエレベーターに乗った。ビルの外に出て、傘を広げた。

「アチャーッ!」

巻いてある時は気づかなかったのであるがところどころサビている古い傘ではないか。

しかしビニール傘を取り替えに、またビルの七階まで戻るのはめんどうくさい。私はそれを持って家に帰ってきた。今日は傘についていない日だ。二本買って、二本とも私のものになっていないのである。

家の玄関には「チェック」が立っていた。すらりと細身のイギリス人である（たぶん）。

「あんたとは長くつき合おうね、どこか遠くへ行かないでね」

何度でも言うが、うまく広げられずに、すっかり雨に濡れてしまったあの折りたたみ傘は、あれ以来そこいらにほってある。名前はまだない。つける気もない。私とものすごく相性が悪そうだという予感もある。ピンクの模様も好きになれない。バーゲンであわてて買ったため、広げることなく模様を見なかったのがいけなかった。

秋の夜いい思いしてます

秋のダイエット週間が続いているが、ここのところ、おいしいイベントも目白押しである。

久しぶりのワイン会が開かれた。これはみながワインを一本ずつ持ち込み、かかった食事代をワリカンにするというものである。

この会はお金持ちのＩＴ企業社長や和田秀樹さんがメンバーだ。前回のテーマは「新大陸」ということで、オーストラリアやアメリカのものが並んだ。こっち方面ならたいしたことがないとタカをくっていたら、みんな「幻の……」と名がつくようなものばかり持ってくる。デパートでありきたりのオーストラリアワインを買ってきた私は、本当に恥ずかしかった。

そして今回のテーマは、ズバリ「ボルドー」である。約束の時間にフレンチレストランへ行くと、あらかじめ店に届けられたワインが並べられている。詳しく言うと嫌味になりそうなのでやめておくが、八〇年代のマルゴー、ペトリュス等のヴィンテージワインが十二本！

ソムリエの人も、

「これほどのものをいっぺんに見たのは初めてです」

と興奮していた。

私の持っていった、わが家の〝お宝〟、二〇〇〇年のロートシルトなど、フンという感じ。

「まだ早いですね」

のひと口だけでグラスに残される。まずシャンパンのマグナムの栓が抜かれ、次々とワインがデキャンタに注がれた。が、九人（途中ひとり帰って八人）に、十二本は多過ぎる。グラスがずらり並び、その半分にワインが残ったままだ。

「まぁ、なんてもったいないのッ！」

私は自分の目の前のグラスのワインをすべて飲み干した。が、最近ダイエットのためアルコールを断っている身に、ワインはものすごく利いたようである。

次の日私は、何年ぶりかの二日酔いに苦しむことになった。頭はガンガン痛く、吐き気が何度もこみ上げてくる。意地汚なさというのは、高級ワインにいちばんいけないことだったのね。いくら高いものでも、お上品に飲まなきゃいけなかったのね……。うっ、苦しい……。

が、ご存知のとおり、二日酔いは次の日にはケロリと直るもの。体調が整った私は、ディナーへ。

ホテルニューオータニの中の高級レストラン「トゥールダルジャン」が、開店二十一周年を記念して、特別ディナーを催すことになった。題して「バベットの晩餐会」。あれは大好きな映画だった。

パリ・コミューンで亡命してきたひとりの女性が、デンマークの寒村に流れつく。その牧師館に家政婦として勤めることになったバベットという女は、十四年間、貧しい食事をつくる。くる日もくる日もスープに干した魚だけという料理だ。

ある日彼女は、牧師館の老姉妹たちに頼む。

「宝くじで大金があたりました。どうかそのお金で牧師の生誕百年のお祝いに晩餐をつくらせてください」

舟で見たこともない材料が届けられる。圧巻は、籠の中でピヨピヨ鳴いているウズラたち。バベットはいとおしげにつぶやく。

「私のウズラたち……」

実はバベットは、パリでいちばんといわれた高級レストラン「カフェ・アングレ」の女性料理長だったのである。そして世にも豪華なディナーが、村の人たちにふるまわれる……。

この映画に強い印象を受けた私は、当時「週刊文春」の当コラムに感想を書いたと記憶している。

「決して心温まるだけの映画ではない。長いこと干しタラとスープだけしかつくれず、食べることが出来なかったプロの怨念が、一食に結実したのだ」

といったような内容だったと思う。

「トゥールダルジャン」の方の説明によると、この映画に出てくる「カフェ・アングレ」は、トゥールダルジャン・パリ本店のオーナーの、祖父の店だったのである。この縁で今回のディナーが実現したということだ。

「ブラックタイ」という指定だったので、急きょ私は、ダナ・キャランのロングスカートを買った。一緒に行くことになった友人の男性は、タキシードを貸衣装で借り、

「一式四万もかかった」

とブウブウ言っていた。

まあ何とか二人、トゥールダルジャンにふさわしい格好に身なりを整え、タクシーでニューオータニへと向かった。

実はこの「トゥールダルジャン」、十五年前に私が結婚披露宴を開いたところである。

その縁で、今回招待していただいたのだ。

あの頃はレストラン披露宴などする人はおらず、ホテルの宴会場がふつうであった。私はこの「トゥールダルジャン」の内装の素晴らしさにすっかり心を奪われ、ぜひここにウェディングドレスで立ってみたいと熱望した。

そして山本益博さんを通して、お願いしてみたのである。店側にとっても、二、三回めの試みだったはずなのに、とても快くOKしていただいた。

あの時と同じに総支配人のクリスチャン・ボラさんが、今夜も笑顔で迎えてくれる。フランス式に手の甲にチュッ。まるで映画俳優のような美男子だったボラさん、ちょっと頭が淋しくなったが今もカッコいい。

そう、肝心の料理であるが、鮑《あわび》とブルターニュ産オマール海老の冷製、キャビアたっぷり生クリーム添え、ツバメの巣のスープ、ロッシーニ風アンコウとアン肝のポワレ、圧巻は何といっても「バベットが愛したブレス産ウズラのトゥルト」、詰め物である。映画だと可愛いウズラちゃんが原形で出てくるが、今回はウズラの首がパイでつくられていた。なんとも可愛い。そしてシャンパンは映画と同じ、ヴーヴ・クリコの一九八二年。

こんな話ばっかりズラズラ書いてすいません。その罰として、あっという間に二キロ太りましたから。

ボケの壁

とてもいい季節になった。

街の樹々はぐっと色づき、都心の美しいことといったらない。表参道は、同潤会アパートの後のプロジェクトが完成しつつあり、その建物を見るのも楽しみだ。

そしてもっといいことはコートを羽織るようになったということ。朝の忙しい時、コートさえまとえばそうコーディネイトに苦労しないでもすむ。はっきり言って私の場合〝ボロ隠し〟の意味さえ含んでいる。

朝、駅のホームに立っていた。うちは始発駅なので、一台見送れば座って行くことが出来る。発車を待つ電車の前に立ち、ぼんやりそれを見ていた。

ドアのところに立っていた若い女性と目が合う。すると彼女は私を見つめ、不思議なしぐさを始めた。左手をスカートのお腹のへんに持っていき、しきりに上げるのである。

ハッと気づき、開けたコートの前に目をやる。ジーンズのジッパーが下がったままであった……。

最近いろんな失敗をしていると、何度か書いてきた。「私の頭の中の消しゴム」という韓国映画を見たばかりだが、私も若年性アルツハイマーではないかと思うほどボケがひどい。

「ハヤシさんは昔からだから、そんなに気にすることはないよ」

と慰めてくれる人は多いが、もうそんな段階じゃない。

朝、コーヒーメーカーをセットする。三回に一回ぐらいはコーヒーが出てこない。水を入れるのを忘れるか、フィルターを入れないままスイッチを押しているのだ。ガスの火をつけっぱなしにしたこともある。

何でこの場に立っているのか、忘れてしまうことなどしょっちゅうだ。

「絶対に忘れないように、ここに置いておくことにしよう」

と念を入れてしまったものはまず出てこない。

人の名前と顔はすぐに忘れる。パーティーで会って話していても、たいていはその人が誰だかどうしても思い出さない。

先日、文壇のパーティーに出た時のことだ。ある男性が寄ってきた。

「ハヤシ君、一緒に写真撮ろうじゃないか」

わりとエラそうなのである。見たことがあるようなないような……そのまま一緒に写真を撮るだけにしておけばよかったのだが、好奇心がむらむらわいてきた。なぜならその男の人が私の傍に立ったとたん、カメラマンたちがわっと寄ってきたからだ。有名な人らしい。が、どうしても名前が出てこないのだ。たまりかねて私は尋ねた。

「あなた、いったいどなたなんです？」

「○○だよ」

真青になる私。この業界の大御所でいらっしゃる。大昔、一度対談したことを思い出した。

これ以外にも地下鉄の駅を間違える、人の噂話を伝えてくれた本人に話してヒンシュクを買う、などということはしょっちゅうだ。

本屋へ行ったら、「ボケも直る」という音読の本を見つけた（齋藤孝先生のものとは別）。それによると、寝たきりの老人も音読することによって甦ったという。実験してみると、音読している時の脳味噌がいちばん活性化されているそうだ。

が、今さらいいトシをした大人が、その本のとおり声を出しておとぎ話を読んだりするのは恥ずかしい。

「そうだ、古典を声を出して読もう」

一葉や源氏物語、平家物語といった日本古来の名作を音読したら、美しいリズムを身につけることが出来る。私の書くものも、どれだけマシになるであろうか。さっそくうちの本棚から古典全集を取り出して読むことにしたのだが、文字どおり三日坊主であった。飽きっぽいこともあるのだが、声を出して古典を読んでいたら、高校時代のあまり楽しくない国語の時間を思い出したのである。なんか「勉強している」という感じがして、すぐにイヤになってしまった。

「トランプの神経衰弱がきく」

と教えてくれた人がいたが、これも苛立《いらだ》つばかりでちっとも楽しめない。

そんなある日、友人と話している最中、昔の映画の名前が全く出なくなった。

「それ、アノ、それで、あの……」

「そう、アノ、アノ……」

と出てくるのはアノばっかり。

「だったらインターネットで調べようよ」

と彼が言った。

「アノアノで固有名詞が出てこないと、脳の細胞が二十億だか死ぬんだって。でもすぐに調べて答えを出すと、かなりの数復活するらしいよ」

いいことを教わった。他のいろんなことは出来ないかわり、せめてきちんと調べて答えを出そう。しかし私は、まだパソコンを使えないのである……。

自分のことを頭がいいと思ったことはない。が、そうバカでもないと思っていた。しかし最近、学校の先生やお医者さん、といった人たちに会って話す時、

「あ、私ってかなりバカかも」

と思うことがある。

「頭がいい人、悪い人の話し方」という本が売れているらしいが、頭の悪い人というのはいっぺんにわかる。タクシーに乗ってラジオを聞いていると、身の上相談が始まった。自分の悩みを話すのであるが、初老の女性のまあ、たらたらと喋ることといったらない。回答者やアナウンサーが、早く終わりたがっているのに、

「でもですね……」

「だけどねぇ……」

と続ける。まるで論理性がなく自分勝手。同じことを何度も繰り返す。が、私も同じように話していることに気づく。

「あ、私ってかなりバカかもしれない」

とわかる一瞬だ。まあ、自分でバカと気づくぐらいだから、そうタチの悪いものではないかもしれない。

もしかすると最近のボケ具合は、長いことリコウぶって暮らしていたことのツケのような気もしてきた。脳味噌が「分相応のことをしろ」と怒っているのかも。

初出／週刊文春　二〇〇四年十二月九日号～二〇〇五年十一月二十四日号
単行本／二〇〇六年三月　文藝春秋刊

文春文庫

オーラの条件《じょうけん》

定価はカバーに
表示してあります

2009年3月10日　第1刷

著　者　林《はやし》　真《ま》理《り》子《こ》

発行者　村上和宏

発行所　株式会社　文藝春秋

東京都千代田区紀尾井町3-23　〒102-8008
TEL　03・3265・1211
文藝春秋ホームページ　http://www.bunshun.co.jp
文春ウェブ文庫　http://www.bunshunplaza.com

落丁、乱丁本は、お手数ですが小社製作部宛お送り下さい。送料小社負担でお取替致します。

印刷・凸版印刷　製本・加藤製本

Printed in Japan
ISBN978-4-16-747632-8